TITAN +

La Chute du corbeau

De la même auteure

Pour adolescents

SÉRIE SARA

Titre marquant des 25 dernières années choisi par le personnel de la Bibliothèque centrale de Montréal.

La Lumière blanche, Montréal, Québec Amérique Jeunesse, coll. Titan, 1993.
- PRIX LIVROMANIE, COUP DE CŒUR AU SONDAGE DE COMMUNICATION-JEUNESSE

La Deuxième Vie, Montréal, Québec Amérique Jeunesse, coll. Titan, 1994.
- PRIX LIVROMANIE

La Chambre d'Éden, tome 1, Montréal, Québec Amérique Jeunesse, coll. Titan, 1998.
- PRIX LIVROMANIE
- PRIX DU LIVRE M. CHRISTIE, SCEAU D'ARGENT

La Chambre d'Éden, tome 2, Montréal, Québec Amérique Jeunesse, coll. Titan, 1998.
- PRIX LIVROMANIE
- PRIX DU LIVRE M. CHRISTIE, SCEAU D'ARGENT

SÉRIE MANDOLINE

La Chute du corbeau, Montréal, Québec Amérique Jeunesse, coll. Titan+, 2003.
- PRIX DU SALON INTERNATIONAL DU LIVRE DE QUÉBEC, CATÉGORIE JEUNESSE.
- PRIX DU LIVRE M. CHRISTIE, SCEAU D'ARGENT
- DEUXIEME POSITION AU PALMARES COMMUNICATION-JEUNESSE DES LIVRES PRÉFÉRÉS DES 12-17 ANS 2004-2005

L'Empreinte de la corneille, Montréal, Québec Amérique Jeunesse, coll. Titan+, 2004.

Pour adultes

Le Roman de Sara, Montréal, Québec Amérique, coll. Tous Continents, 2000.

Sauve-moi comme tu m'aimes, roman (comprend des pièces musicales sur cédérom), Montréal, Québec Amérique, coll. Tous Continents, 2005.

Album

La fée des bonbons, ill. Marie Lafrance, St-Lambert, Dominique et compagnie, 2005.

Pour enfants

SÉRIE ANIQUE ET LE VILLAGE FABULEUX

Lancelot, le dragon, St-Lambert, Dominique et compagnie, coll. Roman rouge, 2000.

Izidor Suzor, St-Lambert, Dominique et compagnie, coll. Roman rouge, 2002.
- PRIX CHRONOS VACANCES (FRANCE)

Marie Louve-Garou, St-Lambert, Dominique et compagnie, coll. Roman rouge, 2003.

La Dame et la licorne, St-Lambert, Dominique et compagnie, coll. Roman rouge, 2004.

Gaston-Le-Grognon, Montréal, Québec Amérique Jeunesse, coll. Gulliver, 2001.
- FINALISTE AU PRIX HACKMATACK

Lysista et le château/Miro et le château, Montréal, Québec Amérique Jeunesse, coll. Bilbo, 2002.
- PRIX DU LIVRE M. CHRISTIE, SCEAU D'ARGENT

Anique Poitras

La Chute du corbeau

p. 120

QUÉBEC AMÉRIQUE jeunesse

Catalogage avant publication de Bibliothèque et Archives Canada

Poitras, Anique
La Chute du corbeau
(Titan Jeunesse)
ISBN 2-7644-0284-8
I. Titre. II. Collection.
PS8581.O243C67 20031 jc843'.54 C2003-941479-5
PS9581.O243C67 20031

ISBN 13 : 978-782-7644-0284-9
ISBN 10 : 2-7644-0284-8

Nous reconnaissons l'aide financière du gouvernement du Canada par l'entremise du Programme d'aide au développement de l'industrie de l'édition (PADIÉ) pour nos activités d'édition.

Gouvernement du Québec – Programme de crédit d'impôt pour l'édition de livres – Gestion SODEC.

Les Éditions Québec Amérique bénéficient du programme de subvention globale du Conseil des Arts du Canada. Elles tiennent également à remercier la SODEC pour son appui financier.

Québec Amérique
329, rue de la Commune Ouest, 3e étage
Montréal (Québec) H2Y 2E1
Téléphone : (514) 499-3000, télécopieur : (514) 499-3010

Dépôt légal : 3e trimestre 2003
Bibliothèque nationale du Québec
Bibliothèque nationale du Canada

Révision linguistique : Diane Martin
Mise en pages : André Vallée – Atelier typo Jane
Réimpression : juin 2006

www.quebec-amerique.com

Imprimé au Canada

À Sandrine,
ma grande-petite sœur,
pour tes quarante ans

« Ce monde est la porte fermée.
C'est une barrière, et en même temps
c'est le passage. »

Simone Weil, *Cahiers, t. III*

« Connais-moi ! Connais-moi,
racine, fleur et graine,
Moi toute seule, mes vols d'ange
et mes bonds d'animal,
– Si me connaître toutefois
en vaut la peine –
Démêle en moi le vrai, le faux,
le bien, le mal.

À Toi je m'abandonne, ô lumière suprême,
Disparue à mes yeux dans les tiens où je suis
Seule moi, seule vraie à l'insu de moi-même.
Comme Tu me connais, ô juge de minuit,
Juge-moi !
Mais sauve-moi comme tu m'aimes. »

Marie Noël, *Jugement*, extrait

Un

Une heure quarante. J'allume la radio.

— ... belle nuit chaude. Je vous laisse en compagnie d'Astor Piazzolla.

— Tais-toi, espèce de con !

Je cloue le bec à l'animateur et je replonge dans ma nuit noire, mélange de rage, de douleur et d'absence.

Tout avait si bien commencé pourtant. Enfin, entendons-nous ! Après dix-huit ans de drames et de mélodrames, ma vie avait viré son capot de bord. J'allais bien. De mieux en mieux, disons. Oui, j'ai eu une enfance lamentable et une adolescence tordue, mais il y a quelque temps, tout était presque beau.

J'avais cessé de boire et de me droguer. J'étais à l'Éducation des adultes, pour terminer mes études secondaires. J'assistais aux réunions des Alcooliques anonymes. J'habitais chez ma marraine AA. En plus de m'héberger, Claire m'avait déniché un emploi à la compagnie où elle travaille. Réceptionniste à temps partiel pendant mon année scolaire et à temps plein, l'été.

Je commençais même à croire à l'amour en lettres majuscules. Je pouvais mettre un prénom, un visage, une voix et un parfum sur cet amour. J'avais le sentiment d'avoir gagné à la loterie, le gros lot des gros lots.

Combien de gars avais-je séduits ? Je n'ose pas les compter. Mais avec lui, c'était différent. Vraiment. Ce garçon intelligent, attentif et gentil, désirait me connaître. Et m'aimer. Il n'a pas dit : « Je t'aime. » Mais ces mots, même s'il ne les a pas prononcés, moi, je les ai vus dans ses yeux, je les ai sentis dans ses mains, je les entendais partout à travers lui. L'ancienne danseuse nue, alcoolique et toxicomane, avait maintenant une vie « normale ». Je mets des guillemets parce qu'entre vous et moi, qu'est-ce que ça veut dire, au juste, « une vie normale » ?

En tout cas, j'étais emballée par ma nouvelle vie. Tout ce qui m'avait toujours été refusé m'était à présent offert sur un plateau d'argent, avec des fleurs et du soleil. Et de l'espoir en prime.

J'aurais voulu vivre cette histoire d'amour. C'était pourtant ce qui était annoncé dans le programme. Fausse représentation. Je me suis retrouvée en plein thriller psychologique.

J'étais au bord du bonheur, mais mon ennemie jurée, cachée dans l'ombre, voulait ma peau.

Deux

Tous les signes étaient là. C'est moi qui ne les ai pas vus à temps. Souvent, ce sont de petits riens. Ils ont l'air anodins. Pourtant...

Oui, les signes étaient là. À commencer par ce cauchemar et cette erreur de magazine. La veille, pourtant, j'avais remporté une nouvelle victoire. C'était il y a quelques mois. Un jour de mai ensoleillé si chaud qu'on aurait dit l'été.

Cet après-midi-là, je rentre à la maison, si fière de ma victoire : j'ai obtenu mon permis de conduire. Ma marraine AA, occupée à découper des pensées positives à la cuisine, ne m'a pas entendue entrer. Claire est obsédée par les dictons, maximes, proverbes et autres jolies phrases. Elle les affectionne, les collectionne et les sème à tous vents dans la maison. Chez nous, quoi que nous fassions, nous risquons de tomber sur une pensée positive.

Je m'approche de Claire sur la pointe des pieds, donc, et lui brandis mon permis de conduire sous le nez. Elle lâche un cri d'épouvante en bondissant de sa chaise et manque de m'attaquer à coups de ciseau. Dès qu'elle constate que je ne suis pas le voleur qu'elle avait imaginé, elle s'écrie :

— Es-tu folle ?

Le regard fixé sur les ciseaux pointés vers moi, je réplique :

— Je ne sais pas laquelle de nous deux est la plus folle !

Claire dépose les ciseaux sur la table et pouffe de rire. Un rire nerveux. Elle range ses nouveaux trésors spirituels dans son coffre à bijoux-de-mots et quitte la pièce. Je pense qu'elle est fâchée. Quelques secondes plus tard, Claire revient, toute souriante. Elle me tend un petit écrin en velours. Intriguée, je l'ouvre. Couchée sur du satin blanc, une petite corne d'abondance dorée. C'est un porte-clefs gravé de mon prénom avec une clef de sa voiture.

L'attention de mon amie me touche beaucoup.

— Tu veux étrenner ton permis de conduire ? me demande-t-elle.

Et elle propose que nous allions manger dans le Chinatown.

Comme elle le fait toujours avant de quitter la maison, Claire s'arrête, dans le vestibule, devant l'affiche des promesses AA épinglée sur le mur. Elle ferme les yeux et laisse son index se poser au hasard sur l'une d'elles. *Nous serons étonnés des résultats même après n'avoir parcouru que la moitié du chemin.*

+ + +

Je conduis : heureuse, fière et sûre de moi. Le repas est joyeux et délicieux.

La serveuse apporte le dessert et le thé. Claire s'empare aussitôt d'un biscuit, le brise puis s'arrache les yeux pour déchiffrer le message.

— Vous enseignez par votre vie, ne l'oubliez pas, me dit-elle en souriant.

Elle dépose le message dans l'assiette en s'éclaircissant la gorge.

— Justement, ma chère filleule AA… C'est moi qui préside les réunions, le mois prochain, et j'aimerais que tu sois l'une de mes conférencières invitées.

Je n'ai encore jamais fait de partage chez les Alcooliques anonymes.

— Je ne sais pas si je me sens prête…

Claire me tend le biscuit. Il me prédit :

Vous cônnaitré bien tot beaucoûp de bonne heure.

Heureux présage, mais bourré d'erreurs.

— Alors, qu'est-ce que tu en dis ? me demande Claire.

— De toute évidence, il y a des gens qui en arrachent plus que moi en français. Ils ont beau faire quarante-douze fautes par phrase, ça ne les empêche même pas de gagner leur vie avec les mots.

— Je te parlais de ma proposition, cocotte.

— Je le sais. J'en dis, j'en dis… que je vais y penser.

\+ + +

De retour à la maison, je m'endors rapidement : contente de la soirée, confiante en l'avenir.

Mais au plus noir de la nuit, des images d'horreur me tirent de mon sommeil. Un immense corbeau, perché sur une branche d'arbre sans feuilles, tient un serpent gluant dans son bec. Il avale le serpent et quitte la branche. Il fonce sur moi et s'acharne à me donner des coups de bec à la poitrine. Je me réveille en cherchant mon souffle. Pendant plusieurs secondes, l'oiseau de cauchemar m'empêche même de respirer dans la réalité.

Je ne réussis pas à me rendormir. À l'aube, je me lève.

Trois

C'est un matin de pluie battante et de vent à écorner les bœufs. Je me prépare un café. Il n'y a plus de lait. Je déteste le café noir.

L'orage se calme. Je soulève le couvercle du pot-à-épicerie. Chaque vendredi soir, Claire et moi, nous y déposons les sous pour les achats de la semaine. Un bout de papier trône sur les billets et la monnaie. Je m'empare de la missive : *Les coïncidences sont les messages anonymes de Dieu. Doris Lessing*. Je souris et j'en oublie mon cauchemar de la nuit.

Je prends l'argent pour acheter du lait et vais au dépanneur. J'en profite pour acheter la revue *Filles*, comme je le fais chaque mois.

De retour devant chez nous, je cherche mon porte-clefs au fond de ma poche. Le sac en papier brun me glisse des mains. En ramassant le litre de lait par terre, je m'exclame : « Mais qu'est-ce que c'est que ça ? »

Le magazine, tombé à mes pieds, n'est pas celui que j'ai acheté. Du moins, ce n'est pas celui que je voulais acheter. La page couverture ne montre pas une star de cinéma mais un psychologue. Le titre ne fait pas allusion aux frasques et déboires de la diva mais à une maladie bizarre.

Je prends le magazine avec l'intention de l'échanger sur-le-champ. Il est trempé. Je suis en furie. *Et si le destin nous faisait signe par hasard ?* lance le titre comme pour me défier. Une rafale d'inquiétude se lève dans mon esprit comme un vent violent. Pourquoi une émotion si vive pour si peu ? Je me suis juste trompée de magazine, il n'y a pas de quoi en faire un drame ! Mais le vent fou persiste à semer l'inquiétude.

Je me répète la devise de ma marraine qui est collée sur la porte de notre frigo : *L'inquiétude est un luxe au-dessus de mes moyens*.

Pendant longtemps, Claire a cru qu'elle était un deux de pique. Aujourd'hui, c'est un as de la finance et elle gère son énergie comme l'argent des portefeuilles de ses clients : investir à la bonne place et faire fructifier.

Je ne sais pas si je crois à la théorie de Claire, mais je l'applique pour contrer mon angoisse à la hausse.

Obliger mon esprit à se focaliser sur mes victoires et en dresser la liste :

- Je ne touche plus à l'alcool ni à la drogue depuis plus d'un an.
- Je mange mes céréales avec du lait et non avec du cola.
- Je commence à apprécier le goût des fruits presque autant que celui des cochonneries.
- J'ai un emploi : un peu ennuyant et pas très payant, mais c'est juste en attendant. En attendant quoi ? À suivre…
- Non seulement je suis en état de conduire, mais j'ai mon permis !
- À l'école, je ne suis pas aussi poche que je le croyais. J'apprivoise les maths, un jour à la fois, et ça va de mieux en mieux. J'en arrache en français, mais

je ne m'enrage plus comme au début. (Rigoureuse honnêteté, Mandoline !) OK, je m'enrage encore, mais moins souvent, quand même. Et les crises durent moins longtemps, ça, c'est vrai !

- Je ne me laisse plus distraire par les garçons, ni à l'école ni chez les AA. J'ai des copains et je n'essaie même pas de les séduire. (Ô victoire suprême !)
- Je suis à quelques pas d'un nouveau succès : l'an prochain, si tout va bien, j'aurai mon diplôme d'études secondaires.

Il recommence à pleuvoir. M'en fous ! Ma foi regonflée à bloc, j'entre dans la maison. Je range le lait et vais déposer la revue mouillée sur le bord de la fenêtre de ma chambre. J'enfile un imperméable et retourne au dépanneur.

Je m'apprête à ouvrir la porte. Au même moment, un homme sort du dépanneur. Je le reconnais tout de suite. Lui, il fait mine de rien et marche d'un pas rapide en direction de sa voiture.

Je me fige comme une statue de sel. Des souvenirs indésirables engorgent ma mémoire. Impossible de les chasser. Le bras se faufile sous ma chemise de nuit : c'est un serpent qui rampe sur mon ventre. La main se dresse : la gueule du serpent s'ouvre.

L'autre main sur ma bouche pour empêcher les mots en feu de jaillir : « Lâche-moi, maudit cochon ! » Ravale tes mots, Mandoline ! Ravale tandis que le serpent te pique.

Les grosses pattes sales de cet homme sur moi, dans la cabine du luxueux paquebot appelé *Le Vaisseau d'or*. Ma petite sœur Aude, endormie dans l'autre lit, le pouce dans la bouche. Dans la cabine d'à côté, maman, endormie, elle aussi. Assommée. Soûle et amoureuse.

J'ai peut-être l'air d'une statue, mais mon esprit chauffe comme une marmite oubliée sur le feu. La colère et le dégoût me secouent. Je me mets à courir derrière l'homme aux mains sales qui, lui, accélère le pas. Il s'engouffre dans sa voiture et démarre.

— C'est ça, disparais, maudit chien sale !

Il y avait une femme à côté de lui. Et sur la banquette arrière, une petite fille de dix ou onze ans. Elle a tourné sa tête vers moi quand la voiture a déguerpi. Nos regards se sont croisés.

J'ai soif. Je vais acheter le magazine qui m'intéresse. Je cours jusque chez moi, vite, très vite.

Je cale un grand verre d'eau glacée, vite, très vite.

Je me laisse tomber dans mon lit et plonge dans les potins de vedettes. Après une deuxième tentative de suicide, mon actrice préférée vient d'entreprendre une cure de désintoxication.

Quatre

— Ça fait trois heures que tu lis le même magazine. D'habitude, le matin, tu as faim et tu dévores, me dit Claire.

Je dépose ma revue.

— Mandoline, qu'est-ce qui ne va pas ?

— J'ai vu...

Ce n'est pas un chat que j'ai dans la gorge mais un salaud. Je n'arrive pas à cracher son nom. Claire s'assoit sur mon lit. Je me racle le gorgoton.

— Robert-Pierre Leroux... Je suis tombée sur lui au dépanneur.

— Pourquoi tu n'es pas venue m'en parler ? me demande Claire.

— Je ne supportais pas l'émotion. Il fallait que ça se taise, tu comprends ?

— Pourquoi il fallait que ça se taise ?

— Parce que ça me donnait soif.

Claire me dit, et ce n'est pas la première fois :

— Accueillir les émotions fait partie du processus de guérison.

Je connais la réplique qui va suivre : tant qu'on les fuit, elles nous cherchent. Et elles nous cherchent jusqu'à ce qu'elles nous trouvent.

C'est bien ce que Claire dit. Mais elle ajoute :

— À moins qu'on les fasse taire.

Ma marraine AA me propose de rouvrir la porte à l'émotion. Je n'y tiens pas. Elle insiste un peu. Ça m'énerve beaucoup.

— Mandoline, qu'est-ce que tu ressens, en ce moment, si tu penses à ce qui s'est passé sur le bateau ? Vraiment.

Je commence à m'énerver. Vraiment.

— J'ai soif, ostifi !

Claire ne lâche pas le morceau. Au nom de MA guérison, elle tourne le fer dans MON bobo :

— Derrière la soif, qu'est-ce qui se passe ?

Je marmonne :

— Je suis en maudit !

— Après qui ?

Je crie :

— Bob Leroux, qu'est-ce que tu crois !

Le salaud ! Eh ! que je lui péterais sa gueule d'homme d'affaires respectable ! Dentier inclus !

— Une colère peut en cacher une autre, me balance Claire, l'air si sûre de ce qu'elle avance.

Je la dévisage, estomaquée :

— Claire, qu'est-ce que tu veux dire ?

— Toi, Mandoline, qu'est-ce que tu ressens ?

Chut, Claire ! Tais-toi donc. Je ne veux pas retourner sur ce maudit bateau ! Trop tard ! Le souvenir débarque malgré moi.

— Maman, faut que je te dise quelque chose…

— Tu es jalouse de mon bonheur. Pour une fois que je me fais gâter par un chic type.

— Mais maman !

— Arrête de fabuler, Mandoline ! C'est malsain.

Non, maman, je ne suis pas jalouse. Et je ne fabule pas, je te le jure !

Le bras de Claire entoure mes épaules. Je craque. Je crie :

— J'en veux à ma mère de ne pas m'avoir crue.

Ostifi que je lui en veux !

— Qui dit que ta mère ne t'a pas crue ? me demande Claire.

Je suis à bout de nerfs et au bord des larmes, mais je me ressaisis et je lui réponds :

— Maman m'a dit : « Arrête de fabuler ! »

— Et si ta mère avait eu besoin de faire taire l'émotion, elle aussi, parce que c'était trop douloureux ?

Je suis chaos. Claire pose sa main sur mon épaule.

— Il est encore temps d'agir, Mandoline, me dit-elle.

Je sais. Mais je ne me sens pas prête encore. Je me lève. J'ai eu ma dose d'intensité pour aujourd'hui.

— Claire, tu sais ce que je ressens maintenant ?

Ma marraine AA s'attend peut-être à une autre révélation spectaculaire.

— La faim !

— Viens manger, alors, me dit-elle en se levant.

Le regard éteint de la petite fille dans l'auto du salaud me fait mal.

Cinq

— Si vous êtes ici pour une note qui vous permettra d'obtenir un diplôme qui vous permettra d'obtenir un emploi qui vous permettra de dépenser sans compter ni réfléchir... alors inutile de revenir. Je vous donne la note de passage, en échange de quoi vous ne m'importunez plus avec votre désespérante présence. Si vous avez vraiment envie d'apprendre à penser, à parler, à lire, à écrire et à réfléchir, revenez la semaine prochaine.

Abdi Mouawad, notre professeur de français, se tait, essoufflé. Mécontent de la plupart des étudiants, il rassemble ses notes et ses livres et les lance dans sa mallette. Fin du cours.

Enfant, il a connu la guerre, au Liban. Il nous en parle souvent. Il nous répète que nous n'avons pas le droit de gaspiller la paix. Cette paix, pour laquelle nous n'avons pas à nous battre, doit servir l'évolution de l'humanité, pas son abrutissement.

Monsieur Mouawad m'interpelle à la sortie du local.

— Mandoline, je peux te parler une minute ?

Je lui fais signe que oui. La sévérité du ton ne laisse rien présager de bon. Je ne comprends pas. Deux fois, pourtant, j'ai répondu à ses questions pièges... sans me prendre aux pièges. J'ai même posé une question pas trop nounoune. Elle n'était pas du tout nounoune, cette question !

Les derniers étudiants quittent le local. Monsieur Mouawad fait un pas vers moi.

— Un journaliste a pris contact avec l'école en vue d'écrire un article sur les raccrocheurs. Il a demandé qu'on lui présente quelqu'un. J'ai pensé à toi.

Je m'exclame, étonnée, mais soulagée surtout :

— Moi ?

— Toi.

— Pourquoi ?

— Parce que toi aussi, tu as connu la guerre. Enfin, je crois. Tu l'as connue, tu la connais encore, je ne sais.

Je jouais... Je jouais de mon corps...

Silence chargé d'intensité. Monsieur Mouawad ajoute :

— Quand on est pris dans l'engrenage de la conscience, le combat est-il jamais fini ? C'est une question. Je ne connais pas la réponse.

Ce bombardement de propos m'ébranle et me laisse sans voix. N'ayant pas la réponse, moi non plus, j'essaie de détendre l'atmosphère :

— Moi qui cherchais, depuis le début de l'année, une façon originale de célébrer mon retour aux études ! Accorder une entrevue à un journaliste ? Je n'en demandais pas tant !

Mon professeur esquisse un demi-sourire.

— Alors c'est d'accord ? fait-il.

— C'est d'accord !

Nous quittons le local, ensemble et en silence. J'apprécie cet homme passionné, même s'il a toujours l'air en colère.

Abdi Mouawad me salue avant de disparaître dans la salle des profs.

Excitée à l'idée de rencontrer un journaliste, je me rends au petit parc, de l'autre côté de la rue, îlot de verdure dans un océan d'asphalte. Depuis mon retour à l'école, j'y viens souvent. Pour manger, étudier. Prier, même.

« Je jouais de mon corps comme d'un instrument de musique, un air connu, toujours le même. » Je ne me rappelle pas le rêve que j'ai fait, ce matin, mais quand je me suis réveillée, cette phrase me trottait dans la tête.

Je m'assois sur le banc et je me dis : « Mais qu'est-ce qu'ils ont tous à vouloir me faire parler de moi ? »

Six

La grammaire ne me rentre pas dans la tête. Elle me donne mal à la tête ! C'est donc bien dur, ostifi ! Qui a décidé que ça devait être aussi compliqué ? Des esprits tordus qui n'avaient rien d'autre à faire que de compliquer les choses pour passer le temps ? Ils en avaient du temps à perdre, eux autres !

La sonnerie du téléphone m'arrache aux exceptions qui n'en finissent plus de confirmer la règle.

— Est-ce que je pourrais parler à Mandoline, s'il vous plaît ?

Quelle belle voix !

— C'est moi.

— Bonjour, je suis Nicolas Chevalier, journaliste au magazine *Savoir et Être*. Est-ce que je vous dérange ?

Je prends une bonne respiration avant de répondre avec… ma plus belle voix :

— Pas du tout.

— Peut-on fixer un rendez-vous ? me demande le journaliste.

— Oui, répond l'étudiante, calmement (mais en dedans, ça s'énerve drôlement).

— En matinée ? propose la jolie voix.

J'ai de l'école.

— À l'heure du lunch, alors ?

— Oui.

— Café aux deux rapides, 11 heures 30, mardi ?

Oui, alors !

Puis je demande au journaliste :

— Vous avez l'air de quoi ?

— Pardon ? s'exclame-t-il d'un ton surpris.

— Je veux dire, comment je fais pour vous reconnaître ?

Il rit.

— Cheveux noirs, plutôt longs et vaguement bouclés. Je serai sans doute en train de lire. Et vous ?

— Cheveux presque noirs, plutôt raides. Non, archi raides et très courts.

Nous raccrochons. Je suis dans un drôle d'état. Quelque chose qui ressemble à de la joie, je pense.

Je baisse les yeux sur mon devoir de français. La joie est de courte durée.

Sept

— Pourrais-je parler à Mandoline, s'il vous plaît ?

Pourrais-je parler à Mandoline ? Quelle classe il a, ce monsieur !

— Oui, c'est moi.

— Nicolas Chevalier.

Je l'avais reconnu. Il a une si jolie voix.

La voix est jolie et désolée. L'entrevue n'aura pas lieu comme prévu. Moi aussi, je suis désolée. Pour ne pas dire franchement déçue.

— Demain matin, je dois assister à une conférence de presse. Peut-on reporter la rencontre ? ajoute-t-il.

Fiou ! Ce n'est que partie remise ! En soirée ? Pas de problème.

— Après-demain ?

Non, je partage à la réunion AA. Le soir d'après ? D'accord.

— Café aux deux rapides, 19 heures, alors ?

— Oui !

Pourquoi ai-je été si déçue à l'idée que ce rendez-vous tombe à l'eau ?

+ + +

J'annonce à Claire que l'entrevue est reportée.

— Tant mieux. Ça nous laissera le temps d'aller fouiner dans les boutiques, s'exclame-t-elle.

Je demande :

— Quel rapport ?

Petit sourire en guise de réponse. Un sourire mystérieux et chaleureux.

Huit

Onze heures trente. Il fait beau et doux. À défaut de partager un repas avec un journaliste, je vais manger mon lunch au parc. Toute seule, comme une grande.

Mon banc n'est pas libre. Mon banc. Comme s'il m'appartenait ! Je m'en approche quand même.

Une adolescente recroquevillée semble y dormir. Une fille jeune mais ravagée par la drogue, le feu noir. Ce feu qui engourdit juste assez pour qu'on ne sente pas ses flammes nous dévorer. Je connais bien ce feu qui a faim.

Je suis hypnotisée par cette fille. Peut-être parce qu'elle me rappelle d'où je reviens et jusqu'où je suis allée dans l'illusion d'immoler ma douleur d'être.

Elle ouvre les yeux. Des yeux noirs comme le feu qui la brise. Des yeux cernés, soulignés à grands traits noirs de *eye-liner*.

— Qu'est-ce que tu me veux, toi ? me lance-t-elle.

Toute l'agressivité du monde dans la voix. La peur et la souffrance aussi, mais voilées. Je ne sais pas quoi lui répondre. Je dis :

— Je ne sais pas. Je ne sais pas exactement.

Elle se redresse. On dirait un volcan. Son regard, à la fois vif et perdu, me crache sa méfiance. Lave brûlante.

J'ai envie de m'asseoir à côté d'elle, mais je ne le fais pas. C'est plus fort que moi, je reste là, sans bouger, sans savoir quoi faire, sans comprendre non plus pourquoi je reste là, immobile et silencieuse. Puis, sans réfléchir, je griffonne mon prénom et mon numéro de téléphone sur un bout de papier que je lui tends. Ses bras restent fermement croisés. Je dépose doucement le papier sur le banc en lui disant :

— Au cas où tu aurais envie de t'en sortir.

« T'en sortir. » J'ai à peine prononcé ces mots que la conviction d'avoir agressé cette fille me saute en pleine face.

— T'es qui, toi, pour me parler comme ça ? réplique-t-elle, insultée.

La fille assise sur le banc continue de me dévisager avec mépris. Je suis qui, moi, pour lui parler comme ça ? Les mots sont délicats. Les paroles les mieux intentionnées peuvent faire l'effet d'une bombe, de coups de griffes ou de couteau. Je lui réponds :

— Quelqu'un qui a de l'expérience. Cinq ans d'expérience en alcoolisme et en toxicomanie.

— T'es travailleuse de rue ?

— Non, j'essaie de m'en sortir, un jour à la fois.

— Je t'ai rien demandé ! ajoute-t-elle.

— Je sais.

Je ne la laisse pas du regard. Une pensée fulgurante frappe mon esprit de plein fouet : « Je n'ai pas été la pauvre victime des grands méchants loups. Si j'ai été une proie aussi facile, c'est peut-être parce que ça faisait mon affaire de trouver des associés pour collaborer à mon projet d'autodestruction. Quand on joue au gibier avec un boucher, il ne faut pas se surprendre d'être dépecée. »

La fille se lève précipitamment. Le vent s'est levé presque en même temps qu'elle. J'ajoute :

— Moi non plus, je ne te demande rien.

La fille s'en va. Je ne sais pas ce qu'elle a fait du bout de papier avec mes coordonnées.

Je m'assois sur le banc. Au même âge qu'elle, j'avais une amie. Une seule. Sara. Elle m'avait relancée au bar où je dansais. Elle voulait m'aider. Sara ne pouvait pas savoir que sa main tendue me giflait. Je m'étais défendue :

— Fous le camp ! Sinon je t'arrache les yeux !

Puis j'avais coupé les ponts.

C'est bizarre de se retrouver de l'autre côté des choses. Je me suis reconnue dans cette fille abîmée et j'ai fait avec elle ce que Sara avait fait avec moi.

Sara. Je lui ai écrit, l'an dernier, quand j'étais en désintox : *Tu m'as peut-être complètement rayée de ta mémoire. Tu m'en veux peut-être encore*... Mon amie m'a répondu : *Je ne t'ai pas rayée de ma mémoire ! Je ne peux pas t'en vouloir encore puisque je ne t'en ai jamais voulu. C'est à moi de m'excuser de n'avoir pas su respecter tes limites...*

J'étais en désintox, à Lamont. Elle, en exil, à Toronto. On s'est écrit, mais on ne s'est pas revues depuis que j'ai crié : « Fous le camp ! » Il y a cinq ans déjà.

Je voudrais que tu sois là, Sara. Il y a tant de choses que tu ne sais pas à propos de moi.

Toi, tu as vu mourir Serge, le gars que tu aimais. Ton gros chagrin, c'est lui qui nous a rapprochées. Je n'avais jamais été aussi proche de quelqu'un, sauf avec mon père, quand j'étais toute petite. Tu pleurais ton grand amour perdu. Je te racontais mes mille et une conquêtes. Je ne t'ai jamais dit ce qui s'était passé, cet été-là, sur le bateau. Jamais.

Je voulais que tu t'étourdisses, toi aussi, pour oublier. Tu ne voulais pas oublier. Tu baignais dans ta peine claire-comme-de-l'eau-de-roche, mais tu ne te noyais pas. Non seulement tu ne te noyais pas, tu jouais les héroïnes au théâtre et tu devenais une héroïne dans la vraie vie. Moi, je m'enfonçais dans quelque chose qui n'était pas du chagrin. Je ne savais pas ce que c'était, mais ça ressemblait à du sable mouvant.

Pourquoi le drame se retournait contre moi alors que pour toi c'était l'inverse ?

Je t'en ai tellement voulu, Sara, de m'avoir laissée tomber pour la troupe de théâtre. J'étais presque bien quand tu avais besoin de moi, tu comprends ? Mais tu veux savoir la vraie vérité ? Ça m'arrangeait de croire que tu n'avais plus besoin de moi. J'avais une raison de plus pour me bousiller. C'est capoté, je le sais, mais c'est comme ça.

Il y a tant de choses que j'aimerais que tu saches, Sara.

Et si je t'appelais ?

Neuf

Elle a l'air perdue parmi les membres du comité d'accueil. Je cours au-devant d'elle.

— Ah, Sara ! Tu es venue ! Merci !

Ça me fait tout drôle de la revoir. Je l'embrasse sur les joues, lui prends la main, l'entraîne. Je lui offre café, tisane, biscuits. Sara ne veut rien. Elle m'observe de la tête aux pieds. De toute évidence, elle a du mal à croire que la fille sans maquillage et vêtue… aussi sobrement, c'est moi. Je lui souris et, moi non plus, je ne me gêne pas pour l'observer de la tête aux pieds. Elle n'a pas changé. Enfin, pas beaucoup. Elle a toujours son air un peu farouche, un peu baveux et beaucoup fleur bleue.

— J'aime ton nouveau *look*, me dit-elle.

J'éclate de rire. À l'époque, c'est vrai, j'étais excentrique. Obsédée par les vêtements, en fait. Et de plus en plus. Je cherchais quelque chose. Avec frénésie. À disparaître, peut-être. Je paradais, le soir, devant le miroir, enfilant puis arrachant les vêtements qui s'empilaient sur mon lit. Je cherchais, mais je ne trouvais pas. Il était tard. Je me disais : « Faut que j'arrête. » J'avais beau avoir un examen le lendemain, je n'étais pas capable d'arrêter. Et je n'étudiais pas. Pas capable.

C'est fou ! Je suis si contente de revoir Sara, mais on dirait que je n'ai rien à lui dire. Et ce n'est pas ça. Quand je lui parlais dans ma tête, tout coulait, tout clair, et là, rien. Je ne trouve pas les mots, c'est vrai, mais je ne lâche pas la main de mon amie.

Sauvée par la cloche ! Claire annonce le début de la réunion. Nous nous assoyons.

Il y a au moins une chose que je peux dire à Sara et je la lui chuchote à l'oreille :

— Je suis si contente que tu sois venue ! Tu ne peux pas savoir.

J'ajoute :

— Ça me fait tellement bizarre de te voir.

Le sourire de Sara me répond, je pense : « Moi aussi, je suis contente d'être ici. À moi aussi, ça me fait bizarre de te revoir. »

Les membres récitent la prière de la sérénité : « Mon Dieu, donne-moi la sérénité d'accepter les choses que je ne peux changer, le courage de changer les choses que je peux et la sagesse d'en connaître la différence. »

J'ai marmonné distraitement la prière tellement je suis touchée par la présence de mon amie.

Roger, le secrétaire, prend la parole. Ostifi que je trouve ça long, aujourd'hui, la procédure !

Je regarde ma montre. C'est long longtemps, une minute, quand on la regarde passer ! On dirait que l'aiguille rit de moi. Calme-toi, Mandoline. Plus facile à dire qu'à faire, OK !

Le trésorier nous invite à répondre aux besoins du groupe par une contribution. Il était temps ! Cette demi-heure qui a fini par finir par passer m'a paru une éternité. Non, des éternités ! Charrie pas, quand même !

Sara a sorti son porte-monnaie. Je lui dis :

— Laisse faire, tu es une invitée.

— Cinq minutes de pause-café, annonce Claire.

Les membres se lèvent, s'embrassent, se parlent, vont se chercher à boire et à grignoter. Sara observe ce qui se passe avec des yeux qui font le grand écart. Je lui dis :

— Tu as l'air de sortir d'une boîte à surprise.

— J'arrive dans une boîte à surprise, plutôt ! me répond-elle.

Pourquoi elle m'a dit ça ? Claire vient vers nous. Sara baisse le volume pour ajouter :

— Je t'expliquerai.

Je présente ma marraine AA à Sara en précisant :

— C'est elle qui me ramasse à la petite cuillère quand mon moral se liquéfie !

Claire-qui-a-beaucoup-entendu-parler-de-Sara fait la bise à Sara-qui-n'a-jamais-entendu-parler-de-Claire.

— Ça me fait très plaisir de te rencontrer, Sara, dit ma marraine qui a une longueur d'avance.

Soudain, je pense à ce qui m'attend, une fois la récréation terminée. J'ai une envie folle d'aller faire du jogging. Je n'ai jamais parlé en public, sauf à l'école pour les exposés oraux et je détestais ça. Même si ça ne paraissait pas.

Claire détecte ma détresse. Elle m'embrasse, me fait un gros câlin et me jure que tout ira très bien.

Câlin et douces paroles d'encouragement n'ont pas l'effet calmant escompté : je continue de mâchouiller mes babines comme si c'était de la gomme.

Claire retourne à son poste. Je confie à Paul, un membre que j'aime bien, la trouille qui me tenaille à l'idée de partager. Il me frotte le dos en me rappelant de lâcher prise et d'avoir confiance.

— Tu n'es pas ici pour performer ! ajoute-t-il.

C'est vrai. Je suis ici pour me faire du bien. Mais pourquoi le bien fait-il si mal, en ce moment ? L'inverse est vrai aussi, je le sais par expérience : le mal peut faire du bien. Temporairement, du moins. La machine humaine est donc bien mal faite. Mon Dieu, il me semble que tu aurais pu te forcer un peu plus pour la mécanique interne, non ?

J'appuie ma tête sur l'épaule de Paul. Il flatte mes cheveux. Je voudrais être un chat et n'avoir qu'une chose à faire : ronronner.

La voix de Claire fait voler en éclats mon beau fantasme félin :

— Le moment est venu de vous présenter la conférencière invitée. C'est une fille que j'aime énormément. Elle est courageuse, sensible. Je sais qu'elle est très nerveuse en ce moment…

Nerveuse, tu dis ? Je capote complètement, ma chère !

— … je ressens une grande joie à l'idée de l'entendre et je m'empresse de lui laisser la parole. Voici Mandoline.

Sara m'envoie avec ses grands yeux surpris tout ce qu'elle peut d'encouragement. Je me lève. Le plancher va s'ouvrir sous mes pieds, j'en suis sûre, et je vais tomber dans le vide. Je me dirige vers l'avant en récitant dans ma tête la prière de la sérénité à ma façon : « Mon Dieu, mets le paquet : donne-moi la sérénité, le courage, la sagesse. Ça presse, ostifi ! »

Je m'assois. Je prends une grande respiration. Advienne que pourra !

Dix

Bonjour, je m'appelle Mandoline, et je suis une alcoolique. J'ai vingt ans.

Je suis l'aînée d'une famille monoparentale de deux enfants. Mon père a pris la clef des champs quand ma sœur Aude est née. Nous n'avons pas eu de ses nouvelles depuis. Ma mère a fait une grosse dépression et n'a pas cessé de se gaver de pilules, même après avoir été soi-disant guérie.

À sept ans, j'apprends à écrire en lettres attachées, je change les couches de ma sœur et je lui donne son biberon. Je me suis fait une promesse : je ne serai pas comme ma mère. Papa l'a sûrement plaquée parce qu'elle n'était jamais contente de lui. Moi, je serai terriblement gentille !

Je suis certaine que mon père reviendra. Un jour ou l'autre, il va bien s'apercevoir que je lui manque et qu'il ne peut pas vivre sans moi.

Mais il ne revient pas. Et je me demande : « Qu'est-ce que j'ai fait de PAS CORRECT pour qu'il m'abandonne ? »

Je commence à me déguiser. Je prends un plaisir fou à emprunter les souliers, les robes et le maquillage de ma mère. Je joue à la patiente et au docteur avec Olivier, le fils de Marcel, le nouveau chum de maman. Mais Marcel disparaît, lui aussi. Avec Olivier, bien sûr. Quand je comprends que je ne les reverrai plus, je me réfugie dans ma chambre et je pleure, en frappant mon front sur le mur, de plus en plus fort. Comme d'habitude, ma mère est complètement engourdie par ses pilules et ses téléromans. Ou bien elle fait semblant de ne pas m'entendre. Aude, qui a trois ans, arrive à côté de mon lit et me dit :

— Poûquoi, Mandoline, tu te fais un gros bobo ?

Je crie à ma sœur de s'en aller. J'ajoute que je l'haïs.

Puis je vois cette petite fille, à deux pas de moi, terrorisée. Elle reste là et elle pleure. Mon *front me fait mal. Je prends Aude par la main et je la reconduis dans sa chambre.*

Pour me faire pardonner d'avoir été aussi méchante avec elle, je lui dis :

— OK, je vais te raconter une belle histoire ?

Elle réclame Cendrillon, et s'endort, la main agrippée à mon bras.

J'ai quatorze ans la première fois que je pique du Valium à ma mère. Je suis au secondaire et je retrouve beaucoup de plaisir à jouer au docteur et à la patiente avec les gars de la polyvalente. Je n'ai pas oublié la promesse que je m'étais faite quand j'avais sept ans : moi, je ne serai pas celle qu'on jette comme une paire de vieilles pantoufles pour aller se chausser ailleurs ! Si je couche avec des apprentis princes, je ne m'en amourache pas ! Avec des Valium, du hasch et un peu de bière, c'est plus facile.

Puis, comme dans tout conte de fées, un prince, un vrai, celui qui fait tout basculer, finit par se pointer. Il a de l'expérience, les tempes grises et beaucoup d'argent. C'est LUI ! Je le reconnais. Il a simplement troqué son cheval blanc contre une Porsche rouge.

Il m'offre de la lingerie fine, des bas de soie et des jupes en cuir. Il m'emmène dans les grands restaurants. Nous buvons les meilleurs vins, rien de moins !

Un prince m'aime ; je peux enfin oublier que je suis la fille abandonnée d'une Cendrillon abandonnée. Pour tirer un trait sur mon enfance malade, mon prince m'offre ma première ligne de coke. À l'école, mes notes baissent, mais je m'en fous. Un prince m'aime.

La féerie dure quelques mois. Le temps qu'il faut au prince pour bercer d'illusions la princesse que je crois être.

Un beau soir, mon prince me dit qu'il m'a beaucoup gâtée, mais qu'à partir de maintenant ça ne sera plus possible.

Je dois tirer un trait sur mon enfance malade ! À tout prix ! Mais la neige dont j'ai besoin ne tombe pas du ciel. Et j'aime tellement mon prince. À présent, ne serait-ce pas à mon tour de faire ma part ? J'ai un corps de petite déesse et le regard de Marilyn Monroe. Je coupe mes cheveux bruns et les teins platine. Mandoline devient Lilas. Et elle se déshabille devant les clients d'un bar. Je ne suis évidemment pas l'unique princesse à danser dans le harem du prince Gerry.

J'abandonne l'école. Je disparais de la circulation. J'ai quinze ans. Au début, l'enfer ressemble à un château.

Malgré la coke, j'ai de plus en plus soif. Et je bois. Du whisky. Beaucoup de whisky. La descente est rapide.

J'aurai bientôt dix-huit ans. Encore gelée de la veille, je rentre dans un grand magasin. Je sais que je dois m'acheter des bas de nylon. Je demande à une fille derrière le comptoir de cosmétiques : « Où est le rayon des jouets ? »

Après, c'est un peu flou. Je m'apprête à sortir du magasin. On me prend par l'épaule et me demande d'ouvrir mon manteau. Je dis à l'adjoint du gérant : « Tu crois vraiment que je vais me déshabiller pour tes beaux yeux ? Eh ! Non ! Il faut payer ! »

Une femme à côté de lui me jette un regard méprisant. Le petit ours en peluche que j'avais planqué dans mon manteau tombe par terre. Je me penche pour le ramasser, mais la femme me devance : « Espèce de voleuse ! Tu ne croyais tout de même pas qu'on allait t'offrir un toutou pour tes beaux yeux ? »

Ils m'emmènent dans un bureau. La police arrive. Je ne suis pas encore majeure. On démantèle le réseau de prostitution auquel j'appartiens. On arrête le prince Gerry. On m'expédie illico dans un centre de désintoxication. J'envoie promener le psychologue. J'ai besoin de tirer un trait sur mon enfance malade.

Besoin de coke et de whisky. On m'impose le sevrage. J'en rage. J'en bave. Je veux mourir. Un souvenir que je croyais à jamais enfoui refait surface. Je ne veux pas. Je lutte contre lui, mais rien n'y fait. Il me poursuit, la nuit, dans mes rêves : le gentil monsieur très élégant et bien élevé, follement amoureux de maman.

Il n'a fait que passer dans notre vie, le temps d'un été. Le temps de nous emmener en croisière dans les Antilles : ma mère, ma sœur et moi.

Un soir, sur le bateau, alors que maman était assommée par les cocktails exotiques et les tranquillisants, et que ma petite sœur dormait comme un ange, le monsieur si généreux est venu me rejoindre dans la cabine, sur la pointe des pieds en faisant : « Chut ! »

Tout s'est passé très vite. Tellement vite que ce serait facile à oublier. Et j'oublie.

Puis un après-midi de pluie, dans le bureau du psy, je craque. Je pleure et je crie : « Maman ! Je veux ma maman ! »

Peu après, je me retrouve parmi une gang d'illuminés qu'on appelle les AA. Je lève le nez sur ces imbéciles qui affirment s'en remettre à une Puissance supérieure. Plusieurs l'appellent Dieu, mais ce n'est pas essentiel, me dit-on. Ils me font suer avec leurs DOUZE ÉTAPES qui leur assurent un bonheur désalcoolisé au-delà de toute espérance ! Après tout, ces éclopés affectifs ne font que déplacer le problème : échanger leur béquille spiritueuse contre une spirituelle ! Mais ces rescapés du fond de l'abîme, que je juge en silence, m'ouvrent leurs bras et leur cœur, sans jamais rien me demander en retour.

Ils me disent : « Reviens ! »

Ils m'énervent, mais je reviens. À reculons, mais je reviens ; parce que je n'ai rien à perdre. J'ai déjà tout perdu, à commencer par ma dignité.

Je reviens aussi pour une autre raison : je suis de plus en plus jalouse de la sérénité de certains membres !

Je suis de moins en moins obsédée par la bouteille et la neige.

Qui est cette Puissance supérieure ? Peut-elle vraiment m'aider ? On me suggère de lui confier ma volonté et ma vie. Je ne sais pas qui elle est ni même si elle existe, mais je décide d'essayer. Au cas où !

Je commence juste à croire que je mérite d'être heureuse. J'ai encore beaucoup de chemin à faire. Mais être heureux, il paraît que cela s'apprend !

Un soir, une membre qui me tombe royalement sur les nerfs me dit : « Mandoline, rappelle-

toi comme tu te détruisais avec acharnement. Tu te rends compte de tout ce que tu pourras accomplir quand tu utiliseras cette énergie pour te faire du bien ? »

Je lui ai répondu : « Va donc jouer à la mère avec quelqu'un d'autre, connasse ! Je t'ai rien demandé ! »

Rien n'empêche que, dernièrement, je me suis inscrite à l'Éducation des adultes pour terminer mon secondaire... un jour à la fois. Et à ma grande surprise, ce n'est pas aussi difficile que je l'avais imaginé.

Quelques mois plus tard, cette même membre AA, que j'avais traitée de conne, est devenue ma marraine. Je l'aime vraiment beaucoup maintenant.

Quand elle m'a demandé de témoigner, j'ai beaucoup hésité. J'ai fini par accepter parce qu'elle m'a juré que mon témoignage pourrait aider du monde, à commencer par moi-même.

S'il y a des nouveaux, ce soir, dans la salle, qui se demandent ce qu'ils sont venus chercher ici, je vais vous dire, au risque de vous faire suer : « Revenez ! » Une chose est sûre, vous trouverez de l'amour, de l'accueil et de la compréhension. Sans avoir à faire d'acrobatie !

J'ai souvent montré mon corps à des inconnus, mais je n'avais jamais mis mon cœur *à nu devant une assemblée d'amis ; ça me fait vraiment tout drôle !*

Je pense que je vais terminer là-dessus. Je vous remercie de m'avoir écoutée.

Les membres applaudissent. Ouf ! Finalement, ça s'est bien passé. J'ai complètement perdu la notion du temps et de l'espace. C'est bizarre : j'étais dans un état second, sauf que je n'avais rien consommé.

J'ai tout raconté. Sauf Isa. Ma marraine AA me lance un regard plein d'amour. Plein de fierté aussi. Même à Claire, je n'ai jamais parlé d'Isa. Pas capable.

Je retourne m'asseoir à côté de Sara. De grosses larmes coulent sur son visage.

— Je t'aime encore plus qu'avant, me dit-elle en prenant ma main.

Je réplique :

— Tu es toujours aussi braillarde !

Voilà tout ce que j'ai trouvé à dire pour la remercier. C'est trop bête. J'embrasse mon amie sur la joue.

+ + +

La réunion est finie, mais une trentaine de personnes font la queue juste pour moi. Juste pour me dire : « Merci, tu m'as fait du bien. » Juste pour me prendre dans leurs bras et m'embrasser. Juste pour pleurer un peu sur mon épaule. Ça fait beaucoup de mercis et de câlins à l'heure ! Assez que mon petit cœur dépaysé ne sait plus où les mettre.

Sara m'attend, assise bien droite sur une chaise, et me regarde avec des yeux bourrés de tendresse.

Onze

Sara et moi, nous quittons la salle de réunion bras dessus, bras dessous, comme au bon vieux temps de notre amitié. Sur le palier du sous-sol d'église, mon amie, encore toute chamboulée par les révélations de mon témoignage, me dit :

— Tu savais tout de moi. Moi, je ne connaissais presque rien de toi. Ce n'est pas juste !

Sara secoue la tête puis elle pose sur moi un regard chargé d'intensité.

— Quand j'ai eu du chagrin, tu m'as aidée à passer au travers. Mais cette horreur que tu as vécue sur le bateau, tu l'as gardée pour toi. Et moi, je ne voyais rien ! ajoute-t-elle.

Je suis remuée par ce qu'elle vient de me dire, mais je réplique en riant, pour alléger l'atmosphère :

— Tu as vu le bout qui dépassait !

Quand ma mère s'énervait parce qu'elle ne savait plus où donner de la tête, elle se disait à voix haute : « Commence par le bout qui dépasse ! »

L'atmosphère refuse de s'alléger. Sara prend ma main et la serre très fort. Je confie à ma vieille amie :

— C'est justement pour remettre les pendules à l'heure que je voulais que tu viennes, ce soir.

Et je propose à Sara d'aller prendre un café. Elle jette un coup d'œil à sa montre. Elle est désolée, sincèrement, vraiment, mais elle ne peut pas. Elle doit répéter son texte pour le spectacle du Conservatoire. Mais elle m'invite :

— C'est à ton tour de venir m'entendre ! me dit-elle.

Évidemment que j'irai la voir jouer ! Comédienne en herbe à la polyvalente Colette, mon amie étudie maintenant pour devenir professionnelle. Elle a de la suite dans les rêves, Sara Lemieux. Je l'envie. Moi, je ne me suis toujours pas découvert de talent particulier. Et je n'ai pas la moindre idée de ce que j'aimerais faire.

— Pour le café, on se reprend après le *show*, promis ? ajoute mon amie.

Je fais signe que oui.

— Ah ! Mando ! Il faut que je te fasse une confidence, s'exclame-t-elle.

Elle m'a appelé Mando. Comme au temps de Colette, quand on était ados et proches.

— Tu te maries ?

— Es-tu folle, toi ! s'écrie-t-elle.

— C'est quoi d'abord ?

— Syntaxe que j'étais sur le gros nerf en arrivant ici ! me dit-elle.

— Il me semblait que tu jurais en anglais, toi, depuis ton exil à Toronto ?

Sara fronce les sourcils et me demande, intriguée :

— Pourquoi tu me parles de ça ?

— Tu as dit « syntaxe » !

— Non !

— Sara Lemieux, je te le jure !

— Je ne m'en suis même pas rendu compte ! réplique-t-elle.

— Et c'était quoi la confidence que tu voulais me faire juste avant de retomber en adolescence ?

Sara me lance un de ses regards indéchiffrables.

— Tu n'avais pas précisé que notre rendez-vous aurait lieu dans une salle de réunion des Alcooliques anonymes.

C'est vrai. C'est nono, mais j'étais gênée.

Je demande :

— Et alors ?

— Je te préviens, c'est abracadabrant. J'ai pensé : Si Mandoline m'a donné rendez-vous dans un sous-sol d'église, ça doit être parce qu'elle est en danger. Elle tente peut-être d'échapper à des crapules qui veulent l'obliger à retourner travailler pour eux… J'ai même eu peur d'être poursuivie, moi aussi, par… un membre qui s'en allait à la réunion.

Nous éclatons de rire en même temps.

— Fin du premier scénario, ajoute-t-elle au bout du fou rire.

Je réplique :

— Il y en a un deuxième ?

Elle hoche la tête, avant de poursuivre en gesticulant.

— Quand j'ai entendu parler du bon Dieu, au début de la réunion, l'idée que tu étais peut-être… tombée dans une secte m'a traversé l'esprit.

Mon amie me sourit, en haussant les sourcils, en haussant les épaules aussi, l'air soulagé d'avoir vidé son sac.

— Ce n'est pas l'imagination qui te manque. Tu devrais les écrire, tes scénarios. Ça pourrait faire de bons *thrillers*.

— Je vais y réfléchir. Mais pour l'instant, je dois finir de mémoriser ce texte d'Anouilh.

— Comment ça, un texte de nouille ?

Sara est pliée en deux, incapable de s'arrêter de rire.

— Pas de nouille ! D'Anouilh, l'auteur de *La Répétiton ou l'Amour puni*, me dit-elle, essoufflée, avant de m'embrasser, de me serrer très fort et de s'en aller.

Mais elle n'a pas fait trois pas qu'elle se retourne :

— Mando ? Est-ce que j'ai dit « syntaxe » pour vrai ?

Je lui fais un grand signe que oui. Elle me laisse sur un sourire très beau. Syntaxe que je suis contente de t'avoir revue, Sara !

Douze

Onze heures trente. Claire me kidnappe à la sortie de l'école.

Je mange mon sandwich dans l'auto en marche, sans savoir où nous allons. Le mystère persiste jusqu'à… la rue Laurier.

Boutique chic. Claire y a ses habitudes. Ma mère achetait ses sous-vêtements dans une lingerie tout près d'ici. C'est là qu'elle avait rencontré Robert-Pierre Leroux. Je l'accompagnais, ce jour-là. Est-ce qu'elle y va encore ?

— Ce chemisier est pour toi. J'en mettrais ma main au feu ! s'exclame Claire.

On dirait du tricot de coton. Non, madame ! Pure soie. Je jette un coup d'œil à l'étiquette. M'écrie en chuchotant ou chuchote en m'écriant :

— Es-tu malade ? Tu as vu le prix ? C'est mon salaire d'une semaine !

Claire insiste :

— Essaie-le. Pour me faire plaisir.

La vendeuse de luxe m'invite à la suivre jusqu'à la cabine d'essayage grande comme un salon. J'enfile le chemisier orange foncé, presque rouge. C'est vrai qu'il me va bien.

— Alors, ça vient, cette parade de mode ? ronchonne Claire en frappant sur la porte.

Je lui ouvre. Elle se pâme.

— C'est exactement ce qu'il te faut pour ton entrevue !

— Mais Claire...

— Tssut ! Mandoline, regarde-toi, tu es belle à croquer là-dedans.

Claire m'oblige à admirer la belle fille dans le grand miroir et à lui donner raison. Je retourne dans la cabine d'essayage en grommelant : « Ça n'a juste pas de bon sens ! »

Je ressors. Claire m'arrache le chemisier des mains et va droit à la caisse. Elle ne me l'a pas dit, mais je sais qu'elle veut que sa filleule soit aussi belle pour aller à l'entrevue qu'une princesse qui va au bal. Dans les contes de fées, les marraines ont des baguettes magiques. Dans la réalité, elles ont des cartes de crédit qui font clic-clic.

Comme nous quittons la boutique, ma fée-marraine me glisse à l'oreille :

— Il faut bien faire des folies de temps en temps.

Treize

Monsieur Mouawad sort de l'école en même temps que moi. Nous traversons la rue ensemble. Mon professeur s'informe de ma rencontre avec le journaliste.

— C'est ce soir que ça se passe !

Je m'arrête au petit parc.

— Merde pour ton entrevue, me dit-il avant de poursuivre sa route.

Je m'assois. Mon regard vagabonde jusqu'au coin de la rue et se pose sur une vieille maison croche. Je viens très souvent ici et je ne l'avais jamais remarquée. On dirait une maison hantée dans un film d'horreur. La nuit dernière, j'ai rêvé à Isa. Je ne me souviens pas du rêve, seulement qu'Isa était dedans. C'est la première fois que je rêve à elle depuis…

Elle me donne froid dans le dos, cette maison. Je me dis : « Regarde ailleurs et pense à autre chose ! » Bonne idée !

Ce soir, j'accorde une entrevue à un vrai journaliste.

Quatorze

Quand il faut y aller, il faut y aller. Je n'ai pas soupé. Trop énervée ! Mais qu'est-ce qui m'énerve tant ? J'aime bien lire les potins de vedettes mais… Moi, je n'ai pas envie d'étaler mes déboires dans une revue !

Est-ce que quelqu'un a dit que le journaliste devait connaître mon pedigree de A à Z ? Pantoute-pas-du-tout ! Pourquoi je m'énerve, d'abord ?

J'enfile mon superbe chemisier qui a coûté à Claire les yeux de la tête et la peau des fesses réunis.

J'aurais dû m'en douter ! Dans la poche, sur mon sein gauche, Claire a glissé une pensée : *Il vaut mieux être complet que parfait*. C.G. *Jung*

Très drôle !

Quinze

Café aux deux rapides. Fille un peu nerveuse cherche cheveux noirs plutôt longs et vaguement bouclés sur tête d'homme seul à sa table et en train de lire. Tiens, je m'harmonise parfaitement à ce décor aux couleurs terre et orangées.

Je repère deux hommes seuls à crinière noire en train de lire. Le premier, la quarantaine entamée et l'air préoccupé, lit un magazine : celui pour lequel il écrit ? L'autre, entre vingt et trente ans, se captive pour un livre, *La Dame aux camélias*.

Qui est Nicolas Chevalier ? Comme je m'interroge, le regard noir du gars à *La Dame aux camélias* s'envole du livre et vient se poser sur moi.

Des yeux très grands, très beaux.

Le gars se lève en souriant et prononce mon prénom. Un gars très grand, très beau. Je lui fais signe que oui de la tête en allant au-devant de lui.

— Nicolas Chevalier, dit-il en me tendant la main.

Je suis toute contente que Nicolas Chevalier, ce soit lui et pas l'autre. Je me réplique aussitôt : « Mais qu'est-ce que ça peut bien faire ? »

C'est drôle, la chanson me renvoie en écho : « Mais qu'est-ce que ça peut ben faire... »

Ça me fait sourire très grand. Je m'assois. Le journaliste sort un mini magnéto de sa mallette et l'installe sur la table.

— On peut se tutoyer ? me demande-t-il.

— Pas de problème.

— Est-ce que tu acceptes que j'enregistre l'entrevue ?

Mon ventre commence à gargouiller, on dirait une tuyauterie qui se lamente. J'éclate de rire. Le journaliste sourit.

— OK pour que tu enregistres. Toi, est-ce que ça te dérange si je mange ?

Non seulement ça ne le dérange pas, ça lui fera plaisir de m'accompagner. Le serveur arrive justement pour prendre nos commandes. *Fajitas* pour nous deux. Bière en fût pour lui, eau plate pour moi.

Le journaliste presse un bouton du magnéto. Je m'attends à ce qu'il me demande pourquoi j'ai décidé de retourner aux études. Il veut savoir pourquoi je les avais abandonnées.

— Parce que… je jouais de mon corps comme d'un instrument de musique, un air connu, toujours le même. Je m'appelle Mandoline ! Ah ! Ah ! Est-ce que j'aurais eu le même destin si je m'étais appelée Julie, Marie-Claude ou Anne-Sophie ?

« Je jouais de mon corps comme d'un instrument de musique. » Mais qu'est-ce qui m'a pris de lui balancer cette phrase ? Je voudrais peser sur le bouton *rewind* et qu'on enregistre par-dessus. Mon malaise est-il étampé sur mon front ? Le journaliste s'empresse de me proposer :

— Pour mon article, je peux préserver ton anonymat, si tu le souhaites.

— Fiou ! Oui, je le souhaite !

Nicolas Chevalier m'observe. Je n'arrive pas à décoder son regard. Au bout d'un silence qui semblait ne jamais vouloir s'arrêter, le journaliste me demande des précisions.

— J'ai rencontré Gerry. J'ai été recrutée par lui, plutôt. C'était un fan de Marilyn Monroe. Alors je me suis métamorphosée en imitation de l'actrice.

Le journaliste sourit en chuchotant :

— Écoute ce qui joue.

— *Je me ferais teindre en blonde si tu me le demandais*, lance la chanteuse.

Drôle de coïncidence, en effet.

— *L'hymne à l'amour* d'Édith Piaf. J'ai rencontré il y a quelques mois... non, laisse tomber...

Je réplique :

— Non, non, vas-y !

— Je t'en reparlerai. Allez, continue, insiste-t-il.

— Quand j'étais petite, mon père me disait que j'étais la plus belle fille du monde et je l'ai cru. C'était ma sécurité, une garantie pour parader dans le monde. Adolescente, j'aimais séduire les gars, susciter leur désir. J'en avais besoin, en fait. Me sentir désirée, c'était me sentir exister. En dehors de leurs regards, *niet* ! Néant ! Je m'effaçais. Je n'étais pas particulièrement jolie, mais on aurait dit que personne ne s'en rendait compte. À part moi !

— Là, tu te trompes ! riposte le journaliste.

Je rêve ou ce type vient d'avouer qu'il s'en est rendu compte, lui, que je n'étais pas particulièrement jolie ? Pour la délicatesse, on repassera ! Mais il a le mérite d'être franc.

— Il y a juste toi qui ne te rendais pas compte à quel point tu étais particulièrement jolie, ajoute-t-il.

J'éclate de rire. Nicolas Chevalier ne comprend pas pourquoi. Je lui fais part du malentendu qui m'est passé par la tête. Ça le fait rigoler aussi.

Je n'ai pas rêvé : Nicolas Chevalier m'a balancé qu'il me trouvait PARTICULIÈREMENT jolie, non ? L'effet du compliment arrive à retardement. Je sens mes joues devenir toutes chaudes. Je baisse les yeux sur mon napperon. Et puis non ! J'affronte le regard et j'encaisse le compliment. Troublant. Mais bon. Avec tout ça, où j'en étais ?

— Quand j'ai commencé à danser, on aurait dit que les regards des hommes m'illuminaient de l'intérieur. Me réchauffaient aussi. Je me sentais puissante. J'étais Lilas, la prêtresse du désir !

Avec le temps, on aurait dit que ces mêmes regards me pénétraient par effraction. Comme des voleurs. C'est bizarre.

J'avais de plus en plus de mal à danser parce que je ne supportais plus qu'on me dévalise en mon absence. Parce que c'était ça, en fait, je ne m'habitais plus. J'étais gelée comme une balle pour ne plus sentir ni voir. Congé de lucidité pour pouvoir survivre.

J'étais un pantin, mais aussi celle qui manipulait les ficelles. Un soir, je me rappelle, malgré la brume, je m'étais demandé : « Qui manipule les ficelles de celle qui manipule les ficelles du pantin qui danse ? » Et j'avais éclaté de rire pendant mon numéro tout en continuant de danser. Ce rire m'avait valu de gros pourboires.

Autant ces regards m'avaient illuminée et réchauffée, autant il faisait noir et froid en moi. Le courant était coupé. J'avais d'autant plus besoin de feu noir.

— De feu noir ? m'interroge le journaliste.

— C'est comme ça que j'appelle la poudre que je consommais. C'est comme de la glace noire, en hiver. On ne la voit pas, mais on glisse quand même. Les flammes dont je te parle, on ne les sent pas quand elles nous dévorent.

Pause-pipi.

+ + +

En allant aux toilettes, je me fais cette réflexion : « Ostifi, j'en avais donc bien long à dire sur le regard des hommes ! »

Je n'en reviens pas d'aller aussi loin dans les confidences avec un inconnu. C'est fou : j'en apprends presque autant que lui à propos de moi.

Seize

Le journaliste change la cassette de bord. Le serveur a apporté nos plats.

— Qu'est-ce que tu trouves le plus difficile depuis que tu es sobre ? me demande-t-il.

Le plus difficile ? Je prends une bouchée et je réfléchis.

— Le jugement des autres me fait suer. Le jugement des gens comme il faut, je veux dire. Tu sais, ces gens qui ne boivent pas, qui ne se droguent pas, mais qui travaillent comme des malades au point d'être aussi abrutis et aussi absents que les vilains drogués.

Je m'emporte, m'enflamme :

— Y a-t-il moins de ravages selon la sorte d'absence ? L'absence, c'est l'absence ! Alors, quelle est la différence entre ces gens qui se tuent à l'ouvrage et ceux qui boivent comme des trous ou se gèlent comme des balles ? Tous des intoxiqués, la tête engourdie par quelque chose. Pourtant, si je leur dis : « Je suis une alcoolique toxicomane réhabilitée ! » ils lèvent le nez sur moi. À leurs yeux, je suis une prisonnière qui bénéficie d'une libération conditionnelle. Ils s'attendent à ce que je récidive ! Ça ne leur effleure même pas l'esprit, à ces gens bien, qu'on a beaucoup de points en commun. Qu'au fond on a peut-être le même problème, mais qu'on le fuit autrement !

Je suis pompée, ma foi !

Je respire profondément, me calme, m'exclame :

— Ce n'est pas vrai !

Nicolas Chevalier me regarde, l'air étonné.

— Qu'est-ce qui n'est pas vrai ? me demande-t-il.

— Il y a quelque chose que je trouve bien plus difficile que le jugement.

— Qu'est-ce que c'est ? demande le journaliste.

— Avant, je ne me cassais pas la tête avec de grandes questions. Je n'entendais presque rien, je ne ressentais presque rien. Tout était gelé : les émotions, les phrases, et toutes ces images qui se forment sur les émotions pour tenter d'expliquer ce qui se passe en moi. Mais depuis que je suis sobre, « ça » pense tout le temps. C'est fatigant. Est-ce qu'il y a un bouton pour mettre « ça » à *off* ? Je le cherche, mais je ne le trouve pas.

Je ne le précise pas, mais je pense : « Et tout est si à vif intérieurement. »

Nicolas Chevalier me dit en souriant :

— Moi non plus, je n'ai pas trouvé ce fameux bouton.

Je réplique :

— Le premier qui le trouve le dit à l'autre, OK ?

— D'accord, me répond-il en souriant encore plus grand.

La cassette du magnéto est au bout de son rouleau. Le journaliste n'en a pas de rechange. Il prendra des notes pour la suite et moi, je mangerai froid.

Nicolas Chevalier prend un calepin dans sa mallette.

— Qu'est-ce que tu aimes, à part les études ? me demande-t-il en tournant une page.

— Quand je vais bien : marcher. Quand je vais moins bien : courir. Et j'adore m'asseoir sur un banc dans un parc. Mais pas n'importe quel banc et pas n'importe quel parc. C'est un tout petit carré de verdure en face de l'école. J'aime aussi les réunions des AA parce que j'ai l'impression d'avoir enfin trouvé une vraie famille.

— Ton retour à l'école s'est-il bien déroulé ?

— J'étais devenue un oiseau de nuit. J'ai dû réapprendre à vivre de jour… et avec un tout petit budget. Mais je suis super contente de cette nouvelle vie : de jour et à jeun.

— Tu as une idée de ce que tu veux faire comme métier ?

— Pantoute-pas-du-tout ! Juste une idée de ce que je ne veux plus.

— C'est un bon début, affirme le journaliste.

Un petit bruit sec me fait sursauter. Je me retourne. Un homme vient de frapper les boules. Je dis :

— Je n'avais pas remarqué la table de billard.

— Tu joues ? me demande Nicolas Chevalier.

— J'ai appris en désintox. Un gars m'a montré. Après, je le battais tout le temps. Presque tout le temps.

Se concentrer sur les boules. Une boule à la fois. Pour ne pas perdre la boule.

— Et toi ?

— J'aime beaucoup le billard. Je joue avec mon ami François quand il a le temps, me répond le journaliste.

— François ?

— Le patron du café. Tiens, en parlant du loup…

Le François en question retire nos assiettes en nous proposant un dessert que nous refusons d'un hochement de tête simultané. Cette simultanéité nous fait sourire… en même temps. Mon regard s'accroche à celui de Nicolas Chevalier... Ou bien c'est le sien qui a invité le mien à plonger… Je ne sais plus comment sortir de ce grand lac noir. Je prends une gorgée d'eau et je demande :

— Toi, tu as toujours su que tu voulais être journaliste ?

Le regard de Nicolas Chevalier s'attarde une seconde ou deux encore. C'est long, une seconde de regard dans le noir de ces yeux-là. Assez pour qu'un frisson fasse : « Bizz ! » dans ma nuque.

— Non, je le suis devenu par accident, me répond le journaliste.

Puis il poursuit :

— Je suis microbiologiste de formation. Je travaillais dans un laboratoire. Avec minutie, certes, mais sans passion. Un jour, mon patron était insatisfait d'un publireportage sur les services du labo. Il m'a demandé d'y jeter un coup d'œil. J'ai lu le texte et je lui ai fait part de mes commentaires. Il les a jugés très pertinents et m'a proposé d'apporter les corrections. Mon patron l'ignorait, moi aussi, d'ailleurs, mais c'est en lui rendant ce petit service que j'allais trouver ma voie.

Le déclic a été soudain et fulgurant : Nicolas Chevalier a pris conscience que les grosses bibites humaines qui travaillaient au labo l'intéressaient bien davantage que les organismes microscopiques auxquels il se consacrait.

— J'ai quitté mon poste de microbiologiste et je suis devenu rédacteur puis journaliste.

+ + +

Pause-pipi II.

J'ai une envie folle d'écrire sur le mur de la salle de bains orangé comme ma chemise. Mais quoi au juste ? Je ne le sais pas, mais ça doit ressembler à de la joie. Bon ! Je n'ai pas les mots, pas de stylo et la décoration est sauve !

Je me lave les mains, tire sur le papier, m'essuie et jette la boule de papier dans la poubelle. Je m'apprête à sortir. Une fille entrouvre la porte et demande :

— Isa ?

Je frémis. En me voyant, la fille ajoute :

— Excuse-moi. Je pensais que…

Et elle s'en va.

Je retourne au lavabo, me passe de l'eau glacée sur le visage, m'essuie les mains de nouveau.

Le café est désert.

Dix-sept

— Lilas, c'était mon nom de danseuse. Faut pas l'écrire dans ton article.

— Ne t'inquiète pas.

Pourquoi je parle au journaliste du toutou volé ? Mystère. Mais je lui raconte que Lilas, la prêtresse du désir, se détruisait. La petite Mandoline en a eu assez, alors elle a piqué un ourson dans un grand magasin pour que Lilas se fasse coincer.

— Un toutou qui m'a conduite en désintox qui m'a menée chez les AA qui m'ont ramenée aux études. Il ne faut pas sous-estimer le pouvoir des oursons de peluche. Ce toutou, qui n'avait l'air de rien, a permis le démantèlement d'un réseau de danseuses mineures et d'envoyer Gerry et sa gang derrière les barreaux.

— De fil en aiguille, la vie fait son œuvre, philosophe le journaliste, l'air ému.

J'aime bien cette image : la vie est une couturière. L'idée que ce journaliste croie que la fille interrogée est une voleuse me plaît beaucoup moins. Il vaut mieux être complet que parfait, pas vrai ?

L'ami François revient et se penche vers Nicolas :

— Excuse-moi, Nicolas. Je te laisse les clefs et tu fermes en partant, mais tu t'occupes des clients s'il en vient. Ou je vous mets à la porte tout de suite, sauf votre respect, mademoiselle.

Mademoiselle, c'est moi, et j'ai droit à un sourire. Nicolas regarde sa montre et s'étonne de l'heure tardive.

— Désolé, François, dit Nicolas en prenant les deux additions qu'il règle sur-le-champ.

Nous quittons les Deux rapides.

— En général, les entrevues ne durent pas aussi longtemps, me dit Nicolas.

Je réplique :

— Je ne sais pas, c'est la première fois que j'en accorde une !

Il est tard.

Quand il faut y aller, il faut y aller. Sur le trottoir, le journaliste me tend la main, une belle main douce toute chaude. On dirait qu'il n'est pas pressé de partir, le beau noiraud. Est-ce que je me trompe ?

Nicolas Chevalier me parle des deux rapides: Mathilde et François. Il a fait la rencontre du couple lors d'un publireportage.

— Aux deux rapides était un nom prédestiné pour eux, me dit-il.

Moi non plus, je ne suis pas pressée de m'en aller. Je pose plein de questions sur les deux rapides.

Mathilde et François étaient en peine d'amour. Ils avaient loué, chacun de leur côté, un chalet à Sainte-Brigitte-de-Laval, sur un chemin qui s'appelle Les deux rapides. Ils se sont croisés au milieu de l'été, au bord de la rivière, se sont mariés à la fin de l'automne, ont eu une fille, Désirée, au printemps, et ont ouvert le café l'été suivant.

Je m'exclame :

— Ouais ! Ils n'ont pas perdu de temps, ces deux-là !

Nicolas Chevalier poursuit son récit. Je reste suspendue à ses lèvres. Nos regards se croisent et s'entrecroisent, s'accrochent et se décrochent.

— Je suis devenu un client régulier du café, l'ami du couple et le tonton de Désirée.

Fin de l'histoire des Deux rapides.

— Bon…

Là, c'est vrai, on s'en va, chacun de son côté. J'aurais bien continué à écouter Nicolas Chevalier me raconter d'autres histoires, mais bon !

Je rentre chez moi. Une pensée me traverse l'esprit. Pas juste l'esprit, le corps aussi : « Ces yeux-là me virent à l'envers. Et si c'était à l'endroit ? »

Fabules-tu, Mandoline ? Peut-être que oui. Peut-être que non.

Dix-huit

Après l'école, je viens m'asseoir sur mon banc. Il est 15 heures 33. Le visage du journaliste qui m'a interviewée me passe par la tête. J'essaie de méditer, de ne penser à rien, de faire le vide. Le visage de Nicolas Chevalier revient… et reste. J'ai senti l'élan. Cet émoi me remue, comme une main brasse la terre avant d'y déposer les semences. Graine de désir. Graine de fleur ou de mauvaise herbe ? Comment savoir ?

Un clochard fouille dans une poubelle. Je n'arrive pas à me détendre. Je m'en vais. Ce soir, j'irai voir Sara jouer au Conservatoire.

Dix-neuf

Le rideau tombe. Les étudiants du Conservatoire reviennent sur scène pour saluer. Sara sourit, resplendissante. Je vais aller la féliciter.

Je quitte mon siège. En marchant dans l'allée, j'aperçois Marie-Loup, la tante bizarre de mon amie, puis deux de mes anciens copains de la polyvalente Colette : Greta Labelle, l'ancienne rivale devenue l'amie et la coloc de Sara, et Emmanuel Ledoux, l'éternel prétendant.

Cinq ans plus tard, Emmanuel est toujours dans le décor. Quel rôle il joue, maintenant ?

À Colette, je lui avais tourné autour, mais j'avais vite frappé un mur. Il n'avait d'yeux que pour Miss Farouche, Sara-Juliette drapée dans sa peine d'amour comme dans une cape de velours brodée de pierres précieuses. Bonne joueuse, je me suis convertie en entremetteuse. Emmanuel, lui, avait tant d'yeux pour sa belle effarouchée qu'il s'est converti en Roméo dans la troupe de théâtre.

Un midi, en allant faire pipi, j'ai biffé le graffiti *MLE*. Pour *Mandoline Love Emmanuel*. Mon premier graffiti.

Mandoline, fille délurée et colorée, assise sur une cuvette des toilettes, à Colette, a aussi écrit :

La vie c'est de la marde

Ce deuxième graffiti, je l'ai écrit l'année suivante, au retour des vacances d'été. C'était juste après Bob Leroux. Quelqu'un m'a répondu : *À quoi ça sert de se battre contre elle ?* La question m'a trotté dans la tête toute la journée. Le soir, j'ai piqué des pilules à ma mère pour la première fois.

Puis j'ai suivi ce feuilleton qui se poursuivait anonymement. *La vie c'est de la marde. À quoi ça sert de se battre contre elle ? T'as juste à la flusher ! T'es à la bonne place !*

Dans la toilette d'à côté, ce long graffiti:

Toute joyeuse à l'extérieur.
Si seule à l'intérieur.
Vous ne voyez rien, gang de sans yeux!

Quelqu'un s'est-il douté que j'en étais l'auteure ? Sûrement pas. Je faisais tellement d'efforts pour avoir l'air « normale ». Ostifi que je m'en donnais, du mal, pour avoir l'air bien ! C'est étrange : je n'étais pas capable de parler de ce que je vivais, même à ma meilleure amie, mais ma souffrance, je l'écrivais sur les murs des toilettes pour que tout le monde la lise.

Emmanuel Ledoux me regarde. De toute évidence, il ne me reconnaît pas. Je ralentis le pas. Non, je n'avance plus. J'ai peur. J'essaie de me raisonner : il n'y a aucune raison d'avoir peur. J'ai peur quand même. Ce n'est peut-être pas de la peur. Peut-être, mais le résultat est le même.

Je veux aller féliciter Sara. Mes jambes refusent d'avancer.

« Mon Dieu, donne-moi la sérénité d'accepter les choses que je ne peux changer... »

J'ai beau prier, je reste clouée sur place.

Incapable de faire un pas en avant, je vire de bord.

Qui est cette folle, si seule à l'intérieur, qui court dans l'allée ? Mandoline-Tétraultpleine-de-secrets-qui-grouillent-comme-des-vers-luisants. Vous ne voyez rien, gang de sans yeux ?

Avant, les pilules de maman, la poudre de Gerry et le whisky endormaient mes angoisses. Et celles-ci filaient jusqu'au matin, comme des enfants sages, bien au chaud dans leur lit confortable. Est-ce que c'est normal de comparer l'angoisse à un petit enfant ?

Je quitte la salle comme une voleuse.

Vingt

Au lit, avec un livre et un marqueur, Claire est partie à la chasse aux pensées. Elle me voit dans l'encadrement de la porte, dépose son livre et m'invite à entrer.

Ça ne va pas. Ça ne va pas du tout

— Mandoline, qu'est-ce qui se passe ? me demande-t-elle.

— Tu vas peut-être me trouver complètement folle, mais... j'arrive du Conservatoire. Ça m'a pris tout d'un coup. Revoir ces gens qui appartiennent à mon ancienne vie m'a fait paniquer.

Claire me sourit. Elle me dit :

— Ça ne m'étonne pas.

J'argumente :

— Oui, mais quand j'ai revu Sara, à la réunion, ça ne m'a pas fait cet effet-là.

Claire me rappelle que j'ai revu Sara dans une salle de réunion des AA, justement : en milieu protégé.

Je réagis :

— Pauvre petite Mandoline ! Lâchée lousse dans le trafic, elle capote, c'est ça ?

Claire éclate de rire.

— Pas toujours. Pas pour toujours. Mais quand des fantômes surgissent du passé, c'est normal d'être ébranlée. Moi, au début de mon rétablissement, j'étais plus vulnérable dans le trafic, comme tu dis, qu'à l'intérieur des murs de la fraternité.

Encore une fois, ma marraine m'aide à comprendre, à dédramatiser et à accueillir l'émotion. Faire face aujourd'hui à ce que l'on fuyait hier : pas simple, comme programme !

Vivre. Un jour à la fois. Affronter. Un fantôme à la fois.

Claire se lève et va chercher sur la commode son coffre à bijoux-de-mots. Elle l'ouvre et me dit :

— Allez, pige.

Je déplie le supposé trésor.

— Alors ? me demande Claire.

Je lis à voix haute : *Pour apaiser sa souffrance, il faut d'abord la vivre jusqu'au bout. Marcel Proust*

Je souhaite bonne nuit à Claire et je vais dans ma chambre. Je dépose la pensée sur ma coiffeuse, avec les autres, et je me couche. Sur le point de m'endormir, je me dis : « Il ne faut pas que j'oublie d'appeler Sara pour lui dire que j'étais là. »

C'est moche, tout de même, que je n'aie pas félicité mon amie.

Vingt et un

J'ai du mal à me concentrer pour étudier. Je sais exactement pourquoi. Je sais exactement à quel moment cela est arrivé. Il était 15 heures 33 hier après-midi.

Une graine de désir s'est immiscée dans mes pensées. Si je l'arrose, elle va pousser.

Ma marraine travaille ce soir. Je me pose donc la question qu'elle me poserait si elle était là : qu'est-ce que je ressens ?

J'ai l'impression que je reverrai Nicolas Chevalier. Est-ce que je pressens quelque chose ? Est-ce que j'imagine des choses ? Comment faire la différence entre imagination et intuition ? Ce désir, est-ce que je le projette sur ce visage qui lui sert d'écran ou bien c'est un pressentiment avec une histoire dedans, comme il y a un arbre dans un gland ?

Mêlée, la fille.

J'appelle chez Sara. Occupé, ostifi !

+ + +

J'ai du mal à étudier, mais je me force.

Vingt-deux

Appeler Sara, c'est vrai ! Il faut absolument qu'elle sache que j'étais dans la salle et que je l'ai vue en Lucille. Je l'avais manquée en Juliette, à Colette.

Ma main s'approche du combiné. Le téléphone se met à sonner. Je réponds.

— Mandoline ?

C'est lui. Je dis :

— Oui, c'est moi.

— C'est Nicolas Chevalier.

— Je sais.

J'avais pressenti qu'il m'appellerait ! Ce n'était pas de la fabulation.

— Écoute… je pourrais te dire qu'il me manque des informations pour mon article, mais ce n'est pas le cas. As-tu envie de jouer au billard avec moi ? Je veux que tu saches que ce n'est vraiment pas dans mes habitudes de rappeler…

Je ne le laisse pas finir sa phrase. L'impolitesse a parfois bien meilleur goût !

— Complètement.

— Complètement ? répète-t-il.

— Oui. J'ai complètement envie de jouer au billard…

La fin de ma réplique, par contre, je l'achève intérieurement : « Avec toi. »

— On peut fixer un rendez-vous maintenant ? me demande-t-il.

Yes, sir ! Je réponds, avec de grosses traces de joie dans la voix :

— Pas de problème !

— Tout de suite, est-ce que ça te va ? ajoute-t-il.

Tout de suite ? Je dois remettre mon travail de français demain matin à la première heure. Il n'est pas terminé. Je peux quand même m'accorder une petite pause, histoire de digérer ces règles archi compliquées qui me donnent tant de mal et si peu de plaisir !

Réponse :

— Oui, ça me va.

Aux deux rapides. À tout de suite.

Vingt-trois

— Salut, me dit Nicolas-qui-m'attendait.

Je suis folle-contente de le revoir. Ça paraît, je pense. J'ai droit à un grand sourire. Le sourire me rentre dedans comme une boule de billard empochée.

Nicolas Chevalier m'invite à le suivre au fond du café. Ce que je fais avec beaucoup de… motivation.

Près de la table de billard, deux gros poissons nagent dans un aquarium : un poisson rouge et un oscar.

— En principe, les poissons rouges servent de lunch aux oscars. Mais l'un des oscars est mort et l'un des poissons rouges a grossi… nous précise Mathilde.

Ce poisson rouge a vu son statut de condamné à mort passer à celui de colocataire. Pas mal, tout de même !

Le bris. J'ai le choix des boules après avoir empoché. Petit coup défensif en espérant ne pas ouvrir la porte à mon adversaire. Petit regard furtif mais grand frisson.

Combine au centre. Les joueurs se font la vie dure. Nicolas me donne un accès direct à ma boule. Moi, je dis boule. Lui, bille. Il parle tellement bien, Nicolas.

La marge de manœuvre est mince.

— Très bien joué, s'exclame Nicolas, épaté.

À son tour. Sa bille se promène quelques instants à l'embouchure, mais elle ne s'arrête pas où il voulait. À moi maintenant. Je me concentre. J'essaie de me concentrer, mais le regard de Nicolas Chevalier, en s'attardant sur moi, me complique la vie.

Mon regard à moi aussi s'attarde… sur le beau jeune homme. Je me rappelle les conseils de Marco quand j'étais en désintox : « Joue en douceur. Plus on force, plus le bras bouge, moins c'est précis. »

Je gagne la première partie, Nicolas, la deuxième. Nous n'en jouons pas d'autre. Pas le temps. Je dois ABSOLUMENT finir mon travail de français. Ça ne me tente pas, ostifi-d'ostifi-mais-bon !

Nous nous apprêtons à quitter le café. Mathilde arrive derrière Nicolas et lui passe la main dans les cheveux. Puis la voix de la patronne se met à enterrer celle du chanteur :

— *Laisse-moi devenir l'ombre de ton ombre, l'ombre de ta main, l'ombre de ton chien.*

Fin des caresses. Mathilde tape un clin d'œil à Nicolas, débarrasse une table et poursuit sa route avec un plateau chargé de vaisselle sale. Je regarde Nicolas avec une insistance curieuse.

— À chacun sa chanson piège. *L'hymne à l'amour* de Piaf pour toi, *Ne me quitte pas* de Brel pour moi.

Nous sortons du café. Nicolas m'a tendu une perche : je veux savoir ce qu'il y a au bout. J'ai beau avoir un travail de français EXTRÊMEMENT IMPORTANT à terminer, je lui demande :

— C'est quoi, cette histoire de chanson piège ?

Il me regarde, l'air hésitant, puis me dit :

— J'ai aimé une femme à la folie. J'ai cru devenir fou quand elle m'a quitté.

Cette confidence me dérange, je pense. Non, j'en suis sûre ! Nicolas ajoute :

— J'ai cru devenir fou quand j'étais avec elle. Un beau cul-de-sac. Léa, c'était ma drogue. Au début, le plaisir. Puis viennent les problèmes qu'on ne veut pas voir. Jusqu'à ce qu'on ne puisse plus voir autre chose.

Comme avec l'alcool. Comme avec la poudre. Gerry était-il une drogue de plus dans ma vie ? Je dis :

— Je sais ce que c'est. Avec Gerry, mes jours d'amour étaient comptés. Il reluquait des filles plus jeunes et plus belles que moi. Gerry trouvait que j'avais trop de seins, trop de fesses, trop de hanches. Je ne comprends toujours pas pourquoi il me disait ça. Non, mais c'est vrai ! Tout ce qui l'avait séduit, au début, il voulait que ça disparaisse. Il surveillait ce que je mangeais. « Les grosses mammas ne m'excitent pas », qu'il disait. Je maigrissais. Je me rendais bien compte que le grand amour auquel j'avais cru n'était qu'un petit paquet d'os. Un amour sous-alimenté avec des miettes de bonheur, dispersées ici et là, et noyées dans l'attente, le doute et la déception. Eh ! c'est encore moi qui parle !

Nicolas sourit. J'ajoute :

— Là, c'est vrai, je me la ferme ! Cette Léa, comment elle est ?

Je sais déjà que je ne l'aime pas, mais je veux tout savoir d'elle !

— Une enfant gâtée-pourrie, fille unique d'un industriel en pharmacologie. Habituée au luxe, elle naviguait dans le jet set comme un poisson dans l'eau. Elle lançait : « Et si on allait manger à New York ? »

— Vous y alliez ?

— Hum, hum. Avec l'hélico de son papa.

— Tu l'as rencontrée comment ?

— À cause d'un contrat de rédaction. Léa travaille vaguement pour son père, en marketing. J'ai rédigé un dépliant publicitaire.

Mais encore ? Je veux des détails ! Nicolas m'en donne :

— Belle, très brillante intellectuellement, mais d'une grande immaturité émotionnelle et affective. Narcissique, manipulatrice. Violente aussi. Cruelle, surtout.

Une vache, quoi ! Ce n'est pas Nicolas qui le dit, mais Mandoline qui le pense !

— Cette fille prenait un malin plaisir à laisser planer le doute qu'elle pourrait partir à tout moment. Elle le faisait. Revenait. Elle se réjouissait, il me semble, de ma douleur jalouse et inquiète. Dieu merci, je me suis sevré d'elle ! ajoute celui qui a aimé Léa-la-vache à la folie.

Je regarde l'heure. Il faut vraiment que j'y aille !

— Je t'accompagne jusqu'au métro ? me demande Nicolas.

— Ça serait chouette, mais je suis venue en auto !

Nicolas me tend la main en me disant à la prochaine. Nous nous regardons sans nous lâcher la main. J'ai chaud, ostifi !

Je me hausse sur la pointe des pieds, j'embrasse Nicolas sur la joue et je file sans me retourner. Nous n'avons pas fixé de rendez-vous pour une troisième partie de billard. Y aura-t-il une autre rencontre ?

Vingt-quatre

Je pense à toi, Nicolas Chevalier. J'ai envie de te revoir. Rappelle-moi donc ! Ton numéro de téléphone, moi, je ne l'ai pas. Tu ne me l'as même pas donné.

— Est-ce que c'est bon ? me demande Claire.

— Oui-oui, mais je n'ai pas très faim.

— Tu vois Nicolas dans ta soupe. Je comprends que tu n'oses pas vider ton bol, réplique ma chère marraine.

Je regarde le potage aux carottes. Je n'y ai même pas goûté. Je souris en prenant ma cuillère.

— Oh, Claire, elle me fout tellement la trouille, cette relation !

Et je lui raconte pour la dixième fois au moins ma peur floue et mon désir fou.

Le téléphone sonne. Je capote. Trop pour aller répondre ? Non.

— Allô ?

— Mandoline ?

Pour la première fois, non, la deuxième, j'exprime à Nicolas Chevalier ma joie claire comme-de-l'eau-de-roche, de l'eau de roche au soleil et en été, tiens !

— Je suis contente que ce soit toi.

Vingt-cinq

Ma peur n'est plus du tout floue. Cinquante fois, depuis que Nicolas m'a rappelée, j'ai pensé à la machine à séduire-à-tout-prix. La machine à séduire d'avant Gerry.

Pour la cinquante et unième fois, je réfléchis devant témoin. Il était temps.

— Je pensais être amoureuse d'un garçon et je faisais les yeux doux à un autre. Je passais de l'un à l'autre, parfois le même soir.

Comme si cette machine à séduire fonctionnait malgré moi, sur le pilote automatique, projetant mon désir d'un visage à l'autre, comme un film à l'écran.

— Claire, le visage de Nicolas est-il l'un de ces écrans interchangeables dans une salle de cinéma intérieur ?

Ma marraine m'a écoutée avec sa patience légendaire. Maintenant, j'attends la suite du réconfort : une réponse.

— En matière d'amour heureux, tu le sais, Mandoline, je n'ai pas plus d'expérience que toi.

Déçue, la filleule ! Très, très déçue par cette réponse.

— Mais je peux te poser une question, par exemple, ajoute ma marraine.

Je réplique :

— Allez, pose ! Pose !

— Des gars, il y en a partout autour de toi : à l'école, au bureau, chez les AA. As-tu envie de tous les séduire ?

NON ! C'est clair comme de l'eau de roche. Je donne un gros bec sur la joue de mon amie et je marmonne :

— Ostifi que je t'aime, toi !

— Moi aussi, je t'aime en ostifi ! me dit-elle, avant d'ajouter : Dans quelque temps, c'est peut-être toi qui seras en mesure de m'aider, côté cœur !

OUF ! Je suis d'aplomb pour aller à mon rendez-vous.

J'amorce mon départ. Claire stoppe mon élan. Elle soulève le couvercle de son coffre à bijoux-de-mots. Je pige : *L'avenir me regarde, les bras tendus, chargé de possibles neufs. Anique Poitras*

Je cours au-devant de mon avenir aux bras tendus. J'espère qu'elle a raison, cette Anique Poitras !

Vingt-six

La table de billard est occupée. Qu'est-ce que je m'en fous !

— On marche un peu ? propose Nicolas, qui n'a pas l'air trop déçu, lui non plus.

— Oui, mais à une condition.

— Des menaces, déjà ?

— C'est pas des menaces mais une proposition : à ton tour de m'accorder une entrevue.

— Aucun problème, très chère.

Qu'est-ce que j'ai aimé m'entendre appeler « très chère » par lui !

Nous quittons Les deux rapides... rapidement. Nous marchons au hasard. Nicolas attend ma première question. Je la commence comment, cette entrevue ? Je n'ai pas d'expérience en journalisme, moi !

Depuis Léa-la-vache-folle, y a-t-il quelqu'un dans sa vie ? Pas pour lui demander ça, quand même ! Rien n'empêche que ça me démange en ostifi ! Je prends mon mal en patience et je m'informe de son enfance.

— Né de mère espagnole et de père québécois, je suis, aujourd'hui, le fils d'une Québécoise et d'un Espagnol, me répond-il.

— Attends, là, je ne te suis pas.

— Mes parents ont échangé leur nationalité, ajoute-t-il, l'air moqueur.

Nicolas se paie ma tête, j'en suis sûre. Il m'assure que non.

— Ma mère a quitté l'Espagne pour venir vivre avec son mari dans son pays à lui. Mais quand mon père est retourné vivre dans son pays à elle, ma mère est restée ici.

— Je ne sais pas si je dois le croire.

— Je te jure que c'est vrai, Mandoline.

Jean-Louis Chevalier travaillait à l'ambassade du Canada en Espagne lorsqu'il est tombé amoureux de Maria-Magdalena Lispector, une jeune secrétaire nouvellement embauchée.

— Mes parents se sont mariés là-bas puis sont venus vivre ici. Et ma mère a donné naissance à un magnifique bébé : moi.

Jean-Louis ne réussissait pas à reprendre racine dans son pays. Il a proposé à sa jeune épouse de retourner vivre dans son pays à elle. Convaincu, bien entendu, qu'elle sauterait de joie. Mais Maria-Magdalena a dit : « Pars si tu veux, mais moi, je reste. »

À cause d'une petite fille handicapée qu'elle avait commencé à garder pour dépanner une voisine. Elle ne pouvait pas l'abandonner.

— Mon père est reparti pour l'Espagne en espérant que ma mère le rejoigne. Mais finalement…

— Finalement, quoi ?

— Ma mère a ouvert une garderie pour enfants handicapés. Et Luce, la petite fille qu'elle a gardée, est aujourd'hui son bras droit.

Luce, sa presque sœur. Celle qui a provoqué la rupture de ses parents. Celle qu'il a maudite et jalousée parce qu'elle lui volait sa mère. Aujourd'hui, il l'adore.

— Jean-Louis Chevalier est devenu Espagnol et Maria-Magdalena Lispector, Québécoise.

— Quelle drôle d'histoire ! Tu parles espagnol, alors ?

— *Si. Quasi siempre con mi madre. Pero mi madre habla francès como una Quebequense.*

— Je ne comprends rien, mais eh ! que je trouve ça beau !

— *Eres adorable*, *Mandolina.*

— Adorablé, ça veut dire adorable ? Ça j'ai compris, Nicolaté !

Nicolas pose sa main sur mon épaule puis montre du doigt l'école où il allait au primaire. La maison qu'il a habitée jusqu'à son adolescence est à deux pas. Nous passons devant et nous décidons de faire une pause. Il n'y a plus de circulation dans les rues. Nous nous assoyons sur la pelouse qui l'a vu jouer, tomber et se chamailler avec ses petits copains. Je retire mes chaussures et me frotte les pieds. Ô plaisir suprême !

— Laisse, murmure Nicolas.

Et il masse mes petits petons. Ô plaisir suprême extra ! Et il me parle des fées de son enfance : Loulou, Mado et Mamoushka, ses tantes adoptives. Ces trois amies, sa mère les a choisies pour se composer une nouvelle famille.

— Autrement dit, ma famille maternelle, c'est un quatuor constitué de trois sorcières, dont ma mère, et d'une avocate du diable, Mado, la mère de Luce.

Luce, sa presque sœur. Mais pourquoi la mère de Luce n'a pas droit au titre de sorcière ? Je demande des précisions sur l'avocate du diable en question.

— Mado est avocate : elle pratique le droit criminel. Et contrairement aux trois autres membres du groupe, elle n'est pas du tout branchée sur la spiritualité et la croissance personnelle. C'est une cérébrale pure et dure… au cœur tendre. Avocate dans la vie, et avocate du diable avec ses amies.

— Ta mère n'a pas de famille en Espagne ?

— Oui. Nous sommes allés chez mes grands-parents, chaque été, jusqu'à la mort de mon grand-père. Après le décès de son père, ma mère n'a plus remis les pieds dans son pays. Pourquoi ? C'est un mystère. Moi, j'ai continué et je continue de retourner en Espagne, une ou deux fois par année, pour voir mon père. Et ta famille à toi ? me demande Nicolas.

— J'ai perdu mon père de vue quand j'avais cinq ans. Ma mère et ma sœur, je ne les vois pas souvent. Quand je suis sortie de désintox, je suis retournée vivre avec elles, mais ça n'a pas marché.

Trop tentante, la pharmacie de maman. Trop désespérantes, trop déprimantes, aussi, nos relations familiales.

— Heureusement, celle qui est devenue ma marraine AA avait une chambre à louer à une étudiante. Mais c'est moi qui pose les questions, OK ?

— OK, m'dame !

Je me lève. Nicolas fait de même et m'emboîte le pas. On poursuit notre route. Je continue d'interviewer mon beau journaliste.

— Tu as quel âge, au fait ?

— Quarante ans, mais je ne les fais pas, me répond-il.

Je dévisage Nicolas avec un point d'interrogation dans chaque œil. Un sourire et un regard malicieux éclairent son beau visage.

— J'ai vingt-six. Ça te va ?

— Ça me va. Et qu'est-ce que tu aimes, à part le journalisme et le billard ?

— Voyager, lire, jouer au tennis, écouter du vieux blues et les belles chansons francophones. Danser aussi.

Étonnée, je m'écrie :

— Tu danses, toi ? J'aurais pas cru !

— Mais c'est un peu comme pour ton banc de parc.

— Quel rapport entre mon banc et la danse ?

— Je danse, c'est vrai, mais pas n'importe quelle danse, et pas avec n'importe qui, répond-il, l'air mystérieux.

— Qu'est-ce que tu danses ?

— Je ne te le dirai pas maintenant. Mais je te le montrerai assurément.

Je le talonne pour en savoir plus. Inutile d'insister.

On marche toujours au hasard. La circulation s'est estompée. Soudain, je m'exclame, tout énervée :

— Je n'en reviens pas !

Je ne me rendais pas compte qu'on y venait. On s'assoit. Sur mon banc. Je dis à Nicolas :

— Bienvenue sur mon île verte.

Lui me dit :

— Tiens, avant que j'oublie.

Il me remet une carte avec ses coordonnées, au travail et à la maison. Difficile de lire, dans cette nuit mal éclairée par un minuscule croissant de lune.

— Mandoline, j'ai un aveu à te faire.

Moitié curieuse, moitié nerveuse, j'attends la suite.

— Ce n'est pas toi que je devais rencontrer pour mon article. L'étudiant avec qui j'avais rendez-vous a décroché, ajoute-t-il.

Après, c'est bien étrange. Ce matin-là, quand il a appris que l'étudiant ne viendrait pas, il était contrarié. Il a téléphoné à l'école où j'étudie pour qu'on lui adresse quelqu'un. Quand on lui a dit que l'étudiante s'appelait Mandoline, il a été troublé. Vraiment beaucoup.

— Pourquoi troublé ?

— Sais-tu à quoi j'avais rêvé, cette nuit-là ? me demande-t-il.

— Désolée, je ne suis pas voyante !

— Je recevais un instrument de musique en cadeau : une mandoline. Et j'étais fou de joie.

Troublant, en effet. Vraiment.

Nicolas ajoute :

— L'hiver dernier, j'ai fait une entrevue avec l'auteur d'un essai sur la synchronicité.

— La synchroniciquoi ?

— Synchronicité. Tu sais, ces coïncidences étranges : deux événements liés par le sens et non par la cause. C'est arrivé pendant ton entrevue. Tu venais de me parler de ta métamorphose en Marilyn Monroe et Piaf s'est mise à chanter : « Je me ferais teindre en blonde… »

Je demande à Nicolas :

— Tu y crois, à ces choses-là, toi ?

— Moi, je suis de nature plutôt sceptique. Mais je dois t'avouer que cette coïncidence entre mon rêve de mandoline et ma rencontre avec Mandoline m'a… bouleversé. Et c'est à cause de cette synchronicité que j'ai osé te rappeler après l'entrevue.

Moi aussi, je suis bouleversée par cette étrange coïncidence. Mais quelque chose d'autre me chicote. Je fais un calcul rapide : le jour où monsieur Mouawad m'a parlé de cette entrevue, au matin, moi, j'avais trouvé une phrase au bout d'un rêve que je ne me rappelle pas : « Je jouais de mon corps comme d'un instrument de musique, un air connu, toujours le même. »

J'en fais part à Nicolas. Même si ça a l'air arrangé avec le gars des vues. Capotant, tout de même, cette double coïncidence !

Nicolas prend ma main et la porte à ses lèvres. On dirait qu'une tonne de briques me tombe sur le cœur. Ma salive a du mal à passer dans mon gosier. Le regard de Nicolas me donne chaud. Me réchauffe et me fait frissonner. Je glisse, je tombe dans son regard noir. J'ai envie que Nicolas m'embrasse. Il me semble que ce serait un bon moment.

Je lance :

— Tu n'es pas fatigué, toi ?

— Un peu, répond-il, l'air surpris.

Surpris ou déçu ?

J'ajoute en me levant :

— On y va ?

Sans laisser sa main, pourtant.

On va où, en fait ?

L'aube est arrivée sur la pointe des pieds et nous offre une rosée tiède. On aurait pu s'embrasser dans le noir. Le soleil aurait pu se lever en fin de baiser. Pourquoi est-ce que j'ai brisé cet instant magique ?

On s'était dit : on marche un peu ? On a marché jusqu'au matin. Jusqu'à cette île verte au milieu d'un océan d'asphalte.

Où on va, maintenant ?

Vingt-sept

Est-ce que c'est possible de réparer un instant magique brisé ? Je ne sais pas, mais j'essaie.

J'allume l'ordinateur et je me branche sur Internet.

Comme on dit chez les AA : « Le courage, c'est la peur qui fait sa prière. »

Je tape l'adresse électronique :
chevani@cosmos.com

Nicolas,

Si tu peux, si tu veux, rendez-vous à l'aube, sur mon île verte, pour assister avec moi au lever du soleil.

Mandoline

J'appuie sur *envoyer*.

Vingt-huit

Je suis venue sur mon île et j'attends Nicolas. Sans savoir s'il viendra. Je n'ai pas eu de ses nouvelles à la suite de mon envoi de courriel.

— Bonjour. Bonne aube, plutôt, murmure-t-il à mon oreille.

Sa voix me ravit. Le frisson m'envahit. Sa présence me réjouit. Folle contente, la fille ! Vraiment ! Complètement !

— Bonne aube, beau bonhomme !

Il sourit, mon beau Nicolas, me fait la bise sur les joues, des joues en feu, et s'assoit à côté de moi.

— Qu'est-ce qu'on attend, déjà ? me demande-t-il.

L'instant magique s'était brisé ici, à cette heure-ci, hier. Je réponds :

— Que le soleil se lève, non ?

Et je glisse dans le regard de Nicolas. Je tombe. Non, je ne tombe pas. Je plane dans la douceur de son désir. Je danse dans le feu de son désir. Je brûle de désir, moi aussi, mais je ne disparais pas en fumée. Je suis une fille assise sur un banc, dans le matin naissant. Mon visage va à la rencontre du visage du gars assis à côté de moi. Il s'appelle Nicolas. Nicolas-beau-comme-un-cœur. Oui, j'ai chaud. J'ai chaud, j'ai peur, mais je ne me sauve pas.

Ses lèvres contre les miennes. Nerveuses, timides, heureuses, joyeuses, nos lèvres, de s'effleurer, de se toucher, de s'entrouvrir, de s'ouvrir grand la porte sur l'infini bonheur de l'instant présent. Le soleil se lève. Maudit que c'est bon !

— Je suis d'accord avec toi : c'est vrai que c'est bon, me dit Nicolas.

Je réplique, surprise :

— J'ai pensé tout haut ?

Il sourit, l'air moqueur :

— Peut-être pas. Et si c'était moi qui avais lu dans tes pensées ?

Encore une fois, je ne sais pas s'il blague ou non. Décidément, c'est en train de devenir une habitude.

Nicolas doit aller travailler. Grosse journée : un article à terminer, deux conférences de presse et deux entrevues. Puis il ajoute :

— Je dois m'absenter pour trois jours : un colloque à Québec. Je pars en fin d'après-midi. Mais je t'invite à souper à mon retour.

Re-bisou doux, fougueux, mouillé, et à très, très bientôt.

Vingt-neuf

Grammaire, grammaire, toi, mon calvaire,
Pourquoi tu me donnes autant de misère ?
Tu es la bête noire de mon année scolaire
Tu me fatigues et tu m'ennuies
mais à ce qu'il paraît tu m'es nécessaire
Ô toi, vilaine, si tu savais
comme ça me fait du bien
De te dire ma façon de penser
pour me défouler un brin

Flash : La conjugaison, c'est comme la société. Les verbes s'accordent aussi difficilement que les individus. Mais il y a les exceptions.

Existe-t-il vraiment des mariages heureux ? Et si la réponse était oui ?

Et si je revenais à mon travail ? Oui-mais j'ai quand même le droit de rêver un peu, en couleurs et en trois dimensions ! Et si mon rêve devenait une histoire vraie dans la réalité ?

Oui-mais finis ton travail ! Ça rêvera mieux ensuite.

OK, d'abord !

+ + +

Nicolas m'a dit qu'il m'invitait à souper dès son retour. Oui, mais il ne m'a pas donné de rendez-vous. Et s'il changeait d'avis ? Il m'a dit : « À très, très bientôt ! » Oui mais ! Et si... et si j'étudiais pour finir en beauté cette année scolaire qui s'est plutôt bien passée ?

Fichue de bonne idée !

Trente

Je remets ma dernière copie d'examen. Abdi Mouawad me sourit et me fait signe de me pencher.

— J'ai une grande confiance en toi, me chuchote-t-il.

Je murmure, intriguée :

— Pourquoi vous me dites ça ?

— Parce que je sais. Appelons ça… de l'intuition masculine. Bon été, Mandoline.

Qu'est-ce qu'il sait de moi, ce prof, que moi je ne sais pas ? Ça m'intrigue, mais bon ! Je lui dis, avant de quitter l'école pour l'été :

— Merci pour tout.

Ce prof ne le sait pas, mais si je vis une vraie histoire d'amour, ce sera grâce à lui.

+ + +

Nicolas ne m'a pas appelée. Et si Léa était là-bas, à Québec, et si… Et s'il m'avait déjà oubliée ? Après tout, on s'est juste embrassés deux fois.

C'est donc bien compliqué, la vie à jeun ! L'amour itou, ostifi !

+ + +

— Mandoline, téléphone.

YES !

Trente et un

C'est la première fois que je viens chez lui. Je suis nerveuse. Ou énervée. C'est quoi la différence ?

Je frappe. Il m'ouvre.

— Entre, me dit-il.

On se regarde. On sourit. On regarde ailleurs puis on se re-regarde. On s'évite, mais pas longtemps. On dirait qu'on ne sait pas comment agir. Sécher sur place ou s'enraciner dans les bras de l'autre ?

Je m'approche de Nicolas, me lève sur la pointe des pieds et lui flanque deux petits becs sur les joues :

— Salut !

— Salut ! me répond-il.

Il a dit « Salut » en saisissant ma tête. Il me regarde dans les yeux. Regarde loin, loin en moi. Puis son visage se penche et ses yeux se ferment. Ses lèvres atterrissent sur les miennes, je ferme aussi les yeux. Dans le noir, mon bonheur s'agite comme un chiot fou.

C'est donc bon ! Le temps se suspend. Plus rien n'existe à part nous deux collés-collés. Doux, le baiser. Bon. Long, aussi.

Puis je m'exclame :

— Ostifi !

— Qu'est-ce qu'il y a ? As-tu vu une apparition ? me demande Nicolas.

Je pointe mon doigt vers la bibliothèque. Les bibliothèques, en fait, parce qu'elles sont quatre. Tous ces livres qui débordent de partout, par terre, stationnés en double sur les tablettes. Et moi qui trouvais que Claire en avait beaucoup.

Je demande :

— Tu les as tous lus ?

— Non. Mais la moitié au moins.

Comment peut-on se farcir le crâne avec autant de mots ? Moi, tout ce que je lis, à part les textes obligatoires pour l'école, ce sont des articles pas compliqués dans des revues de filles.

Nicolas me dit :

— Je puise beaucoup de réconfort dans les livres, tu sais.

— Moi, juste à les regarder, ça m'épuise beaucoup, tu sais.

Il rit.

— Il y a tellement de phrases qui se font toutes seules dans ma tête ! Je ne sais même plus où les mettre. Alors, en rajouter…

— La piqûre de la lecture, on peut l'avoir n'importe quand, ajoute mon bel intellectuel en se dirigeant vers la table de la salle à manger.

— Je te sers un verre ?

Au centre de la table, il y a une bouteille de vin rouge et deux verres. Nicolas porte la main à son front :

— Excuse-moi, j'ai complètement oublié que…

— T'en fais pas ! Tu dois avoir de l'eau.

— Eau minérale, jus...

— Eau-tout-court.

Nicolas disparaît à la cuisine. J'en profite pour écornifler. C'est joli, ce désordre organisé. Ça traîne juste ce qu'il faut mais pas trop. Je jette un coup d'œil à la salle de bains en face de l'entrée. La porte entrouverte, au bout du couloir, doit être celle de sa chambre. La chambre de Nicolas. Je ne m'y aventure pas, quand même ! Au fond du salon, il y a un coin bureau. Je jette un coup d'œil à sa table de travail. Sur une pile de documents, il y a une chemise étiquetée : Dossier Raccrocheurs.

— Top secret ! me dit Nicolas.

— Je fouine un peu, mais je ne fouille pas vraiment. Ton article sur moi, tu l'as écrit ?

— Tu es bien curieuse.

— Si c'est écrit, je pourrais le lire.

— Ne mélangeons pas le travail et le privé, tu veux ?

— Je veux bien. Mais ce qui est du travail pour toi, c'est du privé pour moi !

— Tu marques un point. Mais je ne change pas d'idée.

Je tourne les talons. Un tableau sur le mur me saute au visage. Un corbeau, botté comme le chat botté, brindille au bec. Ses ailes forment une longue cape noire. Il marche. Je n'aime pas ce tableau. Je ne sais pas si c'est le tableau ou l'émotion qu'il suscite en moi que je n'aime pas.

Un cadeau de Léa. Son cadeau d'adieu à Nicolas. Ça règle la question : je déteste l'émotion que ce tableau suscite en moi et je déteste le tableau-tout-court.

— Elle trouvait que cet oiseau, aux allures de chevalier, me ressemblait, me dit Nicolas en me tendant le verre d'eau.

— Elle en fumait du bon, ton ex !

— Il est rigolo, non ?

Ça paraît qu'il n'était pas dans mon cauchemar, lui ! Je réponds :

— Moi, ça ne me fait pas rigoler.

— Tu veux que je le vire de bord ?

Il me niaise ? Il ne me niaise pas ?

— Et qu'est-ce que tu fais si je te dis que je n'aime pas ton sofa ? Tu le balances par la fenêtre ?

Nicolas me fait signe que oui.

— Est-ce que je vais finir par te *sizer*, toi ? Voyons, comment on dit ça en français ?... te saisir ?

— Saisis-moi tant que tu voudras. Tout de suite, si tu veux ! me dit-il en me tendant les bras.

— Je ne la saisis pas, celle-là !

Ah ! Ah ! Et je lui tire la langue.

— Pour une fille qui clame haut et fort ne pas aimer la grammaire, je trouve que tu prends pas mal de plaisir à jouer avec les mots.

Je réplique :

— Que veux-tu, il faut prendre le bonheur partout où il se trouve ! Pas de gaspillage !

— Entièrement d'accord avec toi.

Des photos sur le bahut attirent mon attention. Je m'empare d'un cadre. Un gros bébé joufflu, cheveux touffus, noirs, noirs, noirs, dans les bras d'une jolie femme, cheveux noirs itou.

— C'est la seule photo que j'ai de ma mère et moi. Je veux dire, ma mère et moi, sans Luce, me précise Nicolas.

C'est clair, il ne blague pas. On touche à une corde sensible, je pense.

Puis il me montre les trois fées de son enfance. Deux sorcières et une avocate du diable, en fait : Loulou, Mamoushka et Mado.

La binette de sa tante Loulou me dit quelque chose. Je cherche, mais je ne la replace pas.

— Marie-Louise, c'est la plus… ailée, pour ne pas dire *flyée*, du quatuor. Ancienne hippie, ancienne infirmière, ex-féministe endurcie, elle épousera Octave, cet été, un parfumeur avec qui elle crée, maintenant, des parfums personnalisés, si tu vois ce que je veux dire.

— Non, je ne vois pas.

Nicolas se penche et m'offre son cou à sentir.

— *Nicolas* de Loulov, créé expressément pour moi.

— Là, je vois. Et qu'est-ce que tu sens bon !

J'embrasse son cou, du bout des lèvres. Nicolas ferme les yeux pour savourer. Ça ne va pas plus loin pour l'instant et c'est très bien ainsi.

Je montre la petite fille en fauteuil roulant qui tient sur ses genoux le gros bébé joufflu.

— C'est Luce ?

— Oui. Et lui, c'est mon père, ajoute-t-il en me montrant la dernière photo. Voilà, tu as vu toute ma famille. Tu as faim ?

Je fais un gros-signe-que-oui.

Nicolas me prend la main. Nous allons dans la salle à manger. Une question me chicote.

Trente-deux

Nicolas a fait des brochettes de poulet, du riz et des légumes au cari. Il n'a pas débouché la bouteille de vin. Je lui dis de ne pas se gêner pour moi. Il s'assoit mais se relève aussitôt pour appuyer sur un bouton du lecteur de cd.

— Vieux blues, riz et brochettes : c'est ma spécialité.

Nous mangeons en compagnie de B.B. King, un *blues man* que je ne connais pas. Langoureuse, la musique. Langoureux aussi, nos regards.

La question qui me chicotait commence à m'obséder. Je la pose, je ne la pose pas ? Tout de suite ? Plus tard ?

Maintenant :

— Nicolas, mon passé chargé ne te fait pas peur ?

La réponse tarde à venir. Assez longtemps que j'ai le temps, moi, de m'inquiéter un peu.

— Ton passé est lourd, c'est vrai, mais toi, tu ne l'es pas, finit-il par répondre.

Comme si les coups durs n'avaient pas réussi à me briser. Abîmer, oui, mais pas briser.

Il ajoute en posant sa main sur la mienne :

— Tu es profonde et légère. Et ce mélange de profondeur et de légèreté me fait du bien. Plus que ça : ma vie en avait besoin.

Cette réponse m'apaise.

— Entre le plat de résistance et le dessert, tu auras droit à ton initiation au tango, m'annonce Nicolas.

Cette fois-ci, il blague, c'est sûr. Non. Ma dernière bouchée avalée, Nicolas m'entraîne au milieu de la pièce. La musique qui se met à jouer n'est pas du blues. B.B. King a cédé la place à Castor Pizzeria.

Non, Astor Piazzolla. Oups !

Nous sommes face à face. Je m'attends à ce que Nicolas m'enlace et m'enseigne quelques pas de tango. Non, il me propose d'écouter la musique. Mais de l'écouter vraiment.

— J'ai assisté, avec ma mère, à ce concert enregistré à Central Park. Mon grand-père d'Espagne venait de mourir, ajoute-t-il.

Nicolas ferme les yeux. Pas moi. Mon regard, je le laisse goûter au paysage qui s'offre à lui : un gars aux yeux fermés, très beau et si gentil.

Est-ce que j'aime cette musique ? Je ne sais pas. Il me semble que oui. Pour l'instant, je l'écoute sans danser. Avant, je faisais complètement l'inverse : je dansais sans écouter. Mais, surtout, mes yeux font le plein de beauté qui alimente des rêves de bonheur fou.

Je regarde les mains de Nicolas. Ses mains qui ne me touchent pas, qui ne m'effleurent même pas, c'est comme si elles me caressaient à l'intérieur.

Nicolas ouvre les yeux. Des yeux noirs qui brillent. Ce regard posé sur moi me donne chaud et faim. Faim de Nicolas. Comme si j'avais un creux au cœur parce que j'étais affamée depuis longtemps. Depuis tout le temps. Ça fait presque mal tellement c'est bon.

— *Mezcla de rabia, de dolor, de fe, de ausencia, llorando en la inocencia de un ritmo juguetón.* « Mélange de rage, de douleur, de foi, d'absence, pleurant sur un rythme enjoué », me dit Nicolas.

Magie. Nicolas met des mots sur ce que je ressens. Cette magie me bouleverse.

— C'est en ces termes que l'auteur argentin Enrique Discépolo a défini le tango.

Nicolas s'approche.

— Mandoline, depuis que j'ai posé mes yeux sur toi, je rêve de danser le tango avec toi, je te jure. Le repas n'était qu'un prétexte.

Le repas, c'était le prétexte pour danser le tango ? Ou le tango, le prétexte pour… Soudain, la peur débarque. Entre humour et désir, elle se faufile.

— Mandoline, j'ai une confession à te faire.

Je l'interroge du regard.

— Il n'y a pas de dessert. J'ai complètement oublié d'aller le chercher à la pâtisserie.

Je réplique en faisant mine d'être fâchée :

— Alors je fous le camp !

Nicolas m'attrape par la main, m'attire à lui.

— Et moi, je vais t'embrasser pour essayer de te convaincre de rester.

Il prend mon visage entre ses mains. Nos cœurs battent en duo. Entends-tu, Nicolas ? Nos cœurs dansent le tango. Nos lèvres et nos langues aussi.

Tu goûtes bon, Nicolas, tu goûtes tellement bon.

La peur danse, elle aussi. Mal, mais elle danse. La peur d'avoir l'air ridicule. J'hésite, mais je le dis :

— Nicolas, je… je n'ai jamais fait l'amour à jeun.

— Et moi, je n'avais jamais rêvé de danser le tango avec une femme avant de te rencontrer.

Je réplique :

— Arrête de niaiser ! C'est sérieux, ce que je t'ai dit.

— Moi aussi, c'est sérieux ce que je t'ai dit.

Nicolas a appris le tango quand il était enfant, avec sa mère, qui elle l'avait appris de son père argentin. Dans leur famille, le tango, c'est sacré. Avant, ça ne l'était pas pour Nicolas. Mais maintenant…

— Je rêve de danser le tango avec toi. Je rêve aussi de t'entraîner dans ma chambre.

Oui, j'ai envie de toi. Oui, je pense à faire l'amour avec toi. J'y pense des centaines de fois par jour au moins. Le tango, ce n'était pas un prétexte pour t'entraîner dans ma chambre. Mes deux rêves se chevauchent, mais ils ne sont pas obligés de se réaliser en même temps. Veux-tu dormir ici, cette nuit, avec moi ?

Et il ajoute, tout en murmures :

— Mandoline, tu n'as jamais fait l'amour à jeun. Un jour, ce sera la première fois. J'aimerais que ce soit avec moi. Mais quand tu voudras. Pour l'instant, je te réitère mon invitation : veux-tu dormir ici, cette nuit, avec moi ?

Tant de douceur sur son visage, dans sa voix et ses yeux. Elle me chamboule à en pleurer, cette douceur.

— Oui, je… Je veux dormir avec toi.

Nicolas me tend la main. Nous marchons vers sa chambre. Nous nous assoyons sur le lit. La peur m'a suivie. Mon Dieu, donne-moi la sérénité d'accepter… ce long baiser. Un pont suspendu au-dessus de la peur pour aller dans le cœur de l'autre.

Les mains de Nicolas explorent mon visage. Ses doigts se posent sur mes sourcils, descendent doucement et tracent des cercles autour de mes yeux en frôlant mon nez. Puis ses paumes, toutes chaudes, effleurent mes joues. Un doigt se glisse entre mes lèvres, les entrouvre en les caressant. Je vais de frisson en frisson.

Nicolas me trouve belle, tellement belle.

— Gerry est le con le plus con que la terre ait porté, me dit-il.

Et moi de répliquer :

— Et Léa, la conne la plus conne. On pourrait les jumeler !

Puis je demande à Nicolas s'il veut me prêter son tee-shirt pour dormir. Je précise :

— Parce que ça sent toi et que tu sens bon.

Mais je n'attends pas sa réponse, je retire son chandail avec des mains si énervées qu'elles tremblent un peu. J'aperçois une cicatrice, toute petite, sur sa poitrine.

— C'est quoi, cette cicatrice ?

En m'approchant pour l'embrasser, je découvre que c'est un tatouage. Il est écrit, en lettres attachées : *Et alors ?*

— Une cicatrice. Tu n'as pas tort, me répond Nicolas, l'air mal à l'aise.

Blessure de fille, j'en suis sûre.

— Elle s'appelle Léa Laure. Je l'avais surnommée : Et alors ?

Cette Léa, Nicolas l'avait dans la peau. Tellement qu'il a gravé son surnom dans sa chair.

Il affirme qu'il s'est sevré d'elle, mais l'est-il vraiment ? Après tout, c'est elle qui est partie. Elle pourrait revenir n'importe quand.

Le doute est un monstre puissant. Je dois faire un effort suprême pour ne pas succomber à la dose de poison qu'il me tend. Le doute insiste. Pour tenir bon, je m'accroche à la devise de Claire : *L'inquiétude est un luxe au-dessus de mes moyens.*

— Est-ce que ça va, ma belle ? murmure Nicolas en bécotant le lobe de mon oreille.

Je secoue la tête en guise de... ni oui ni non. Parce que ça va merveilleusement bien et extrêmement mal en même temps. Mais je n'ai pas envie d'avouer que je déteste Léa Laure et que j'ai peur d'elle. Que je la déteste parce que j'ai peur d'elle. La rigoureuse honnêteté, Mandoline. Rigoureuse.

Il y a Léa, c'est vrai, mais ce n'est pas tout. J'ai vingt ans physiquement, mais dans mon cœur, ici-maintenant, j'en ai quatorze. Quatorze ans, avant que je me cache pour qu'on ne me trouve pas. Avec un cœur qui n'est pas enfoui sous la neige. Un cœur qui ne s'est pas noyé dans le whisky.

Nicolas caresse avec douceur, du bout des doigts, mes rondeurs de femme, « ces courbes exquises », précise-t-il.

Mon corps se raidit.

— N'aie pas peur, me dit Nicolas en embrassant ma nuque.

Le bras se faufile. Le serpent rampe sur moi. Je chasse la main de Nicolas en murmurant :

— Je ne peux pas.

— Ça ne fait rien, ma douce. On a tout notre temps, me dit Nicolas.

À l'intérieur de moi, c'est encombré de tant de gestes faits, toujours les mêmes, en apparence des caresses, mais en dedans, ce n'en était pas. Il n'y a plus de place en moi pour les caresses de Nicolas, alors que tant de mains anonymes se sont promenées sur ma peau. Ces mains qui volaient ou achetaient du plaisir étouffent ta douceur, Nicolas. Ma mémoire est un terrain laissé à l'abandon envahi par les mauvaises herbes. Les mauvaises herbes empêchent les fleurs de pousser, Nicolas.

Mon Dieu, comment on s'y prend pour aimer et se laisser aimer en faisant les mêmes gestes qui nous détruisaient ? L'alcool, tu rebouches la bouteille, et ça va tant que tu n'y retouches pas. Pareil pour la drogue. Mais un gars ?

Je jouais de mon corps. Un air connu. Toujours le même. À présent, c'est une autre musique, Mandoline. Oui, c'est une autre musique, mais je ne sais pas la jouer. Je ne l'ai pas apprise.

Je finis par tomber de fatigue… dans les bras chauds et les mots doux de Nicolas.

Trente-trois

Le maudit corbeau. Encore. Vorace et terrifiant. J'ai les mains liées derrière le dos. L'oiseau fonce sur moi. Je cours sur un chemin de poussière en tentant désespérément de lui échapper. Je cours, mais mon genou flanche. Je m'oblige à rester debout. J'essaie, mais je m'effondre. L'oiseau bondit sur moi. Il se jette sur ma figure avec frénésie. J'essaie de détourner la tête, mais en vain. D'un grand coup de bec, le corbeau m'arrache un œil et l'avale. Je n'ai pas le temps de réagir, tout va si vite, l'oiseau noir s'empare de mon autre œil et le mange. Je sens mes orbites vides. Le vent froid s'engouffre dans mes trous et me glace jusqu'aux os.

Repu, le corbeau lance un grand cri de satisfaction, puis je l'entends s'envoler.

Je me réveille en sueur, avec ces images de fille sans yeux à soulever le cœur, et la sensation d'avoir les orbites vides. C'est dégueulasse. Puis je me rappelle où je suis et avec qui. À côté de moi, Nicolas dort, paisible. Je le regarde. Une grosse vague de tendresse m'inonde le cœur, mais la colère se met à gronder. C'est enrageant de voir le bonheur à travers la fenêtre, de l'entendre frapper à notre porte et de ne pas pouvoir lui ouvrir parce que le passé nous a lié les mains !

Je sais que je ne me rendormirai pas. J'ai envie de me coller contre Nicolas, de lui faire un gros câlin. Je ne veux pas le réveiller. J'effleure ses cheveux, me lève, lui lance un dernier regard. Comme si c'était le dernier. M'en vais. En courant : dans l'escalier, sur le trottoir, en traversant la rue.

Quelqu'un me suit. Cours, Mandoline ! Cours !

Je ne me retourne pas.

Trente-quatre

J'arrive chez moi, essoufflée. Triste, aussi. Et j'ai peur.

J'envoie un courriel à Nicolas : *Merci. Ne t'inquiète pas pour ma fugue. Je t'expliquerai.* Puis je me couche.

Au bord de l'endormissement, un bruit me terrifie. On dirait que quelqu'un a tenté de fracasser la vitre de ma fenêtre. Je me précipite pour entrouvrir le store : la vitre est intacte. J'expire de soulagement.

Je me recouche. Je ne peux pas me rendormir. Je me relève. J'irai méditer sur mon banc.

En mettant les pieds dehors, je découvre sur l'asphalte, sous la fenêtre de ma chambre, un grand oiseau noir. Mort. Les images de mon cauchemar me reviennent en mémoire. Je frissonne. Je me mets à trembler. J'hésite, mais je décide d'aller chercher quelque chose pour ramasser le cadavre.

Je ressors avec un sac de plastique. L'oiseau a disparu.

Trente-cinq

Aube. Seule sur mon île verte. Encore tout ébranlée par l'étrange coïncidence : l'oiseau de mon cauchemar qui me poursuit dans la réalité. Mais qu'est-ce que tu me veux, corbeau de malheur ?

Une pancarte annonce que la maison croche est à vendre.

J'essaie de rassembler mes idées, mais plus j'essaie, plus je m'enrage. Pendant des années, je me suis fait tripoter par n'importe qui, n'importe comment, mais je suis incapable de laisser quelqu'un qui compte pour moi et qui tient à moi me caresser avec douceur.

Moi, je sais séduire, je ne sais pas aimer. Je me lance dans la passion comme on déboule un escalier, mais je n'arrive pas à monter les marches une à une et à entrer dans l'amour. Je suis si fatiguée. Et déçue… et je cogne des clous. Mes yeux se ferment tout seuls. Je m'endors, assise sur le banc.

+ + +

— T'aurais pas un peu de monnaie pour que je m'achète un café ?

La voix de l'homme me tire de mon sommeil. J'ouvre les yeux. Crâne dégarni, quelques mèches ébouriffées, un clochard me tend sa paume craquelée. Sa voix m'a troublée. Je ne sais pas pourquoi, mais je n'aime pas ça.

Je dévisage l'homme. Lui aussi m'observe avec attention. En fouillant dans mon sac en quête de monnaie, j'échappe mon porte-clefs. L'homme se penche pour le ramasser. Son regard s'affole et me rentre dedans comme un coup de poignard. Le clochard me donne mon porte-clefs, me le lance presque, comme s'il était brûlant, et se sauve sans son dû. Je me lève pour l'appeler. Les sons ne sortent pas. Je m'écroule sur le banc, la monnaie dans une main, l'autre main dans la bouche. Je ronge mes ongles comme quand j'étais petite. Parce que mon papa n'est pas rentré. Il n'est pas venu me border en m'appelant Petite Douceur. Mon papa ne revient pas. Il ne reviendra pas. Maman pense qu'il faut se faire à l'idée. « C'est pas une bonne idée » que je crie à ma mère, mais elle ne m'entend pas. Elle dit : « Arrête de bouffer tes ongles, c'est laid. » M'en fous si c'est laid. M'en fous, m'en fous, m'en fous, bon !

Je n'ai plus d'ongles à ronger et j'ai soif. Je quitte le banc de bois comme s'il venait de s'enflammer. Le feu est en moi. Se propage dans ma mémoire. Avant, le whisky endormait la peur et la douleur. Chaleur dans la gorge pour empêcher le froid de descendre jusqu'au cœur.

Je cours comme une folle dans la rue.

Cette maison me ressemble : toute croche, hantée, sur le point de tomber.

Moi, je n'avais personne en qui croire. J'ai emprunté les dieux des autres et j'ai foncé, tête baissée, comme un taureau dans une arène. Sans me méfier du matador.

Je cours pour échapper à l'incendie. Mes émotions me brûlent. Me dévastent. Vont m'engloutir toute. Surtout ne pas laisser le lien se faire. Surtout !

Je cours et, dans ma tête en feu, je hurle à ces dieux qui se foutent de nous : « Si vous existez, pourquoi vous me laissez m'enfoncer dans mes idées noires au lieu de me tendre une main secourable ? Qu'est-ce que ça vous fait de voir souffrir les gens ? Avez-vous fini par être immunisés contre la douleur humaine ? Peut-être que vous passez votre temps à somnoler et à vous soûler comme des trous. Donnez-moi donc une seule bonne raison pour que je continue à vous faire confiance ? Vous ne trouvez rien pour me convaincre, hein ? Au fond, vous êtes comme mon père : capables de donner la vie, pas de l'assumer. Vous avez créé le monde, mais vous n'avez pas su le faire tourner rond. Moi non plus, je ne tourne pas rond… »

Je cours de toutes mes forces, mais la salope court plus vite que moi.

Je m'arrête pour reprendre mon souffle. Je vois son reflet dans la vitrine. Une salope de la pire espèce, plus puissante que tous les salauds réunis que j'ai connus. Elle rôdait, j'en étais sûre. Me guettait. M'attendait.

Pourquoi tu n'es pas là, papa, pour empêcher la salope de m'attraper ? Elle me veut du mal, tu sais. C'est tout ce qu'elle me veut.

Si ça se trouve, tu as recommencé ta vie avec une autre femme, tu lui as fait des enfants et tu nous as oubliées, Aude et moi. Peut-être même que tu es heureux avec ton trou de mémoire. Aude et moi, dans ce trou, à jamais.

Chaleur dans la gorge pour empêcher le froid de descendre jusqu'au cœur. La salope me sourit. J'ouvre la porte. Vite. Je n'hésite même pas, me rends là où j'ai besoin d'aller. Il faut enrayer ces flammes de douleur vive. Vite, Mandoline, vite !

Je ressors presque soulagée, une bouteille de whisky sous le bras.

Trente-six

La main sur le combiné du sans-fil, Claire me dit :

— C'est Nicolas.

Je chuchote pour que l'interlocuteur au bout du sans-fil ne m'entende pas :

— Suis là pour personne.

Claire sort de ma chambre pour achever la conversation.

Elle revient.

— Mandoline, pour l'amour de Dieu, qu'est-ce qui s'est passé ?

— Parle-moi pas de Dieu ! Je ne veux plus rien savoir de lui.

Je ne veux plus rien savoir de moi ! Je ne veux plus rien savoir de rien, en fait !

— Si tu as besoin de moi, tu sais où me trouver ! ajoute-t-elle.

C'est ça, va-t'en !

+ + +

Quand je prends mon oreiller, cette pensée tombe de la taie : *Rentre en toi-même, frappe à ton cœur et demande-lui ce qu'il sait. William Shakespeare*

Désolée ! Ça ne répond pas. Il a dû déménager et il est parti sans laisser d'adresse. Je froisse le bout de papier, le lance par terre et me couche.

Puis je hurle :

— Arrête de m'écœurer avec tes maudites pensées magiques à la con ! C'est-tu clair, Claire ?

Trente-sept

Le téléphone sonne. Je décroche.

— Mando, c'est Isa.

— Je ne peux pas.

— S'il te plaît, Mandoline.

Je crie :

— Isabelle, je t'ai dit que je ne peux pas !

— Mais…

Je tire sur le cordon jusqu'à ce qu'il s'arrache de la prise. Je cours à la salle de bains avec le combiné et son fil qui pend. Là, je m'empare des ciseaux et coupe le cordon torsadé au-dessus de la cuvette. Je coupe, je coupe, en regardant les anneaux noirs tomber dans l'eau, jusqu'à ce qu'il ne reste qu'un tout petit bout de cordon. Lui, je le garderai. Je donne un dernier coup de ciseau, jette le combiné dans la cuvette et actionne la chasse. Maintenant, je glisse l'anneau noir à mon annulaire. L'alliance de la prêtresse Lilas.

Je sursaute. Claire a entrouvert ma porte de chambre. Je rêvais.

— À ce que je vois, tu n'es pas en état d'aller travailler aujourd'hui non plus, me dit-elle.

— Eh, non ! Et je ne suis même pas en état d'appeler pour dire que je ne rentre pas. C'est comme ça ! Je n'occupe plus d'emploi à temps partiel depuis que le whisky s'occupe de moi à plein temps ! Ah ! Ah !

Claire referme ma porte. Bon débarras !

Trente-huit

— C'est encore Nicolas. Qu'est-ce que je lui dis ? demande Claire.

— Tu es Alzheimer ou quoi ? Suis pas là !

— Il est inquiet. Il veut savoir où tu es et pourquoi il est sans nouvelles de toi.

Elle est fatigante, elle, avec son insistance !

— Suis là pour personne ! Pour toi non plus ! Fais de l'air !

Avant de sortir de ma chambre, Claire murmure de sa voix douce qui me tape de plus en plus sur les nerfs :

— Je te rappelle que tu loues une chambre dans ma maison. Une chambre que tu n'as pas payée ce mois-ci.

— Ben oui, ben oui.

Mon beau Nicolas. Toi, je ne t'ai pas laissé la chance de faire comme tous les autres! Tu vois, je suis gentille : je t'épargne ma rancune.

Trente-neuf

— Celle qui te remplace au bureau a commencé aujourd'hui, m'annonce Claire de l'autre côté de la porte.

J'ai été virée. Ils n'ont pas perdu de temps !

Je crie :

— Tant mieux pour elle !

Claire n'a pas ouvert ma porte de chambre. Elle ne supporte plus de me voir traîner au lit du matin au soir et du soir au matin. Enfin, je crois.

Avec quoi je vais payer mon loyer ? Et puis merde !

Quarante

Claire m'a fait du vrai bouillon. Avec une carcasse de poulet qui a mijoté pendant des heures. Je n'en ai rien à cirer, de son bouillon de poule ! Je lui dis :

— C'est pas assez fort pour moi !

J'ajoute, baveuse :

— Ça dépend ! Est-ce que c'est bon avec du whisky ?

Claire ne répond pas.

Quarante et un

— Ta mère a téléphoné, m'annonce Claire derrière la porte.

— Si elle rappelle, tu peux lui dire de manger un char d'assaut de bêtises de ma part, OK ?

Et qu'elle s'étouffe avec !

— C'est ton anniversaire, Mandoline.

Je m'en sacre ! Je m'en contrefous ! Claire frappe trois petits coups et ouvre ma porte avant que j'aie le temps de répondre :

— C'est pour toi.

Elle dépose sur mon lit un plateau. Une grande assiette bondée de mets chinois et un énorme morceau de gâteau avec… vingt et une bougies. Mais pas de biscuits de fortune !

Claire quitte ma chambre mais revient aussitôt. Elle m'énerve !

Un paquet cadeau atterrit doucement juste à côté du plateau.

— Joyeux anniversaire, Mandoline, me dit Claire avant de repartir.

Il y avait un joli paquet cadeau aussi sur le bateau. Quel joli bijou il m'a offert, Robert-Pierre, pour mes quatorze ans. Une chaîne en or de trois couleurs, rose, blanc, jaune, incrustée de vraies pierres précieuses.

— Elle est bien trop grande pour le poignet de Mandoline ! crie ma petite sœur.

— Non, Aude, elle n'est pas trop grande. Ça se porte à la cheville, de lui expliquer Robert-Pierre.

— Bonne fête, Mandoline !

Et ma très chère maman, qui refuse de se mêler de ce qui la regarde, s'acharne à se mêler de ce qui ne la regarde pas :

— Mais dis merci à Bob, Mando !

Merci, gros cochon, de promener tes sales pattes partout, partout sur moi.

— Voyons, Mando, donne un bec à Bob !

— Avec ou sans la langue, maman ?

Le coup est parti. La main de ma mère est un fusil.

— Tu te penses drôle, ma fille ?

— Non, maman, je suis sérieuse.

Et ma petite maman s'empresse de réconforter son Bob :

— Excuse-la, Robert ! Tu sais comment sont les ados !

J'ai mal à la joue. Mais ne t'inquiète pas, p'tite mère, je ne pleurerai pas.

— Dans les pays où les gens crèvent de faim, il y a des parents qui vendent leurs enfants pour pouvoir manger. Toi, maman, pourquoi tu m'as donnée ? Tu crèves de quoi ?

Ma petite maman charge de nouveau. Gros Bob retient ses mains. Pour qu'elles ne m'abattent pas.

La maman crie :

— Petite garce !

Pas grave. Demain, on fera comme si de rien n'était.

— Viens, Aude, on va aller se promener sur le pont.

Ma petite sœur a eu tellement peur qu'elle a pissé sur le plancher de la cabine.

— Pas grave, ma puce.

Avant de tourner le dos aux amoureux, je leur lance à tous les deux du poison avec mes yeux et leur laisse la trace de pisse à nettoyer.

La grande sœur prend sa petite sœur par la main et l'entraîne. Dans la salle de bains, elle la débarbouille, lui donne une culotte propre. Sur une joue de la grande, l'empreinte des doigts de leur mère.

— Regarde ce que j'en fais de ton bijou, gros porc !

Je le flanque dans les chiottes et j'actionne la chasse !

— Mandoline, veux-tu que je donne un gros bec sur ta-joue-que-maman-t'a-fait-mal ?

La petite sœur console sa grande sœur. Main dans la main, toutes belles, la grande et la petite vont se pavaner sur le pont du *Vaisseau d'or*.

— Tu l'aimais pas, ta chaîne de pied, Mando ?

— Non, je l'aimais pas. Elle était très laide, tu trouves pas ?

— Oui, elle était très laide… Mais pas tant que ça quand même.

Demain et après-demain, on fera comme les jours d'avant, on fera comme si de rien n'était.

— Elles sont tellement mignonnes, vos filles, madame Chose.

Et la petite madame Chose de répliquer à l'autre madame Chose :

— Merci-merci. Ah, mais les ados, je vous jure, c'est pas un cadeau !

Et l'autre madame Chose de la rassurer :

— Eh ! que je vous comprends !

Oui, on fera comme si de rien n'avait été :

— Comment ça, tu as perdu ton beau bijou, ma belle chouette ?

— Comment ça, tu me poses cette question-là, ma belle maman d'amour ? La réponse, tu veux pas la connaître !

La petite fille que j'ai vue dans l'auto du salaud a-t-elle dit à sa mère pourquoi son regard s'était éteint ? A-t-elle égaré, elle aussi, un beau bijou que Bob Leroux lui avait offert pour son anniversaire ?

Je flanque le paquet de Claire sous le lit sans l'ouvrir.

Pourquoi tu n'es pas là, papa, pour empêcher le monsieur de s'amuser avec moi ? Et pourquoi j'ai toujours cinq ans quand je pense à toi ?

Mes mains arrachent les bougies et plongent dans le glaçage à gâteau. Je me bourre de sucre.

Quarante-deux

Claire m'apporte mon courrier. Comme c'est gentil !

Sara Lemieux m'a écrit. Sara que je n'ai pas rappelée pour lui dire que je l'ai vue jouer. Oh ! La carte postale vient de très, très loin : le Yukon. Je la lis à haute voix : *Ai-je trouvé au Yukon ce que tes amis appellent « Puissance supérieure » ? Je ne sais pas comment la nommer, mais c'est une petite flamme qui brille à l'intérieur de moi.*

À bientôt,

Sara

— Une petite flamme brille à l'intérieur de mon amie Sara Lemieux ! Tant mieux pour elle ! Je sais pas combien de temps la mèche va durer, par exemple ! Moi… ma chandelle est morte, je n'ai plus de feu…

Ma coloc, oh, pardon, ma logeuse, n'a pas l'air d'apprécier ma version rock et a capella d'*Au clair de la lune*. Je pense même que ça la fait fuir !

— Toi, Claire, tu n'as pas de problème à la nommer, cette Puissance supérieure, pas vrai ?

— Aucun problème. Elle s'appelle Dieu et je m'en porte très bien, me répond-elle en amorçant de nouveau sa sortie.

Je l'interpelle :

— Tu veux que je te dise qui est ton Dieu ? Un sadique qui se déguise en père Noël ! Dans la nuit du 24 au 25 décembre, il apporte des tas de cadeaux. Le matin, les petits enfants les déballent, émerveillés.

— Je ne vois pas en quoi ça fait de lui un sadique, réplique ma logeuse.

Je la dévisage et lui balance :

— Évidemment, que tu ne vois pas ! Moi non plus, je ne voyais pas quand ma foi était aveugle !

Toute petite pause, puis j'ajoute :

— Ton Dieu est sadique parce que dans la nuit du 25 au 26, quand les petits enfants font dodo, le salaud revient. Il reprend tout ce qu'il avait apporté, la veille, et il sacre son camp sur la pointe des pieds. Et tu sais quoi, Claire-comme de-l'eau-de-roche ?

— Quoi ?

— Tu te rappelles la pensée magique du pot-à-épicerie : *Les coïncidences sont les messages anonymes de Dieu* ?

— Je me rappelle très bien, répond la dame, de plus en plus tannée d'assister au délire d'une alcoolo pas du tout cool.

— Ce n'est pas par hasard que ton Dieu envoie des messages anonymes. C'est pour ne pas se faire coincer ! Il est sadique mais pas fou ! Il sait bien qu'il en mangerait une maudite s'il se faisait attraper !

— Mandoline, pour l'instant, tu es soûle...

— Tss, tss ! Je suis peut-être soûle, mais comme ma foi n'est plus aveugle, je vois clair dans son jeu, à ton Dieu !

— Mandoline, je t'aime, me dit Claire.

Elle sort de ma chambre et referme la porte. Je lui crie :

— C'est ça, disparais ! De toute façon, j'en ai rien à foutre, de tes mots d'amour !

Quarante-trois

Je pige dans le pot à sous pour l'épicerie. C'est pas du vol. Non, non. Juste un emprunt. Et ça, c'est pour toi, Claire ! Une de plus pour ta collection. Je dépose dans le pot la jolie pensée que je viens d'écrire : *Donne à manger à un cochon, il va venir chier sur ton perron.*

C'était la marotte de ma maman quand mes parents vivaient ensemble.

Et si j'allais faire une petite balade, à présent ?

Quarante-quatre

Miroir, miroir, dis-moi qui est cette fille qui me dévisage. Non, toi, plutôt ! Oui, toi, la fille de la glace ou fille de glace, c'est comme tu veux !... Dis-moi qui tu es. En tout cas, moi, je ne t'aime pas la face ! Je n'aime pas grand-chose de toi, en fait. Le sais-tu ? Évidemment que tu le sais ! Tu te souviens de Mandoline, la-Petite-Douceur-à-son-papa ? Elle avait volé un toutou pour que tu te fasses piéger. Elle avait gagné le combat, ce jour-là.

Cette nuit, c'est toi qui gagnes, Lilas-la-salope. Es-tu contente ? Tu voulais ma peau ? Tu vas l'avoir ! Mais dis donc, qu'est-ce que tu vas en faire ? Pourquoi ne pas empailler ma tête comme celle d'un orignal ou d'un chevreuil ? Tu pourrais installer ton trophée de chasse au-dessus d'un foyer ?

Regarde, prêtresse Lilas, ce que je t'ai apporté : de la belle poudre magique.

— Excuse-moi, j'entendais parler et je croyais que tu m'avais appelée, me dit Claire, la tête dans l'entrebâillement.

Je cache la poudre dans le tiroir en hurlant :

— Fous le camp !

On a toujours besoin de quelqu'un qui a besoin de nous. Émile Ajar

Il y a une main secourable juste au bout de notre bras. Anonyme

— Tu vas voir si elle est secourable, ma main !

Je prends les bouts de papier avec les phrases à la con empilés sur ma coiffeuse, les déchire en mille miettes et regarde tomber la pluie de confettis dans ma corbeille.

Quarante-cinq

Claire entre en coup de vent. Sans frapper.

— J'ai deux mots à te dire, Mandoline !

Oh ! Oh ! Claire, d'habitude si calme et posée, a la voix et les yeux pétillants de colère. Elle n'a pas apprécié que je me serve dans le pot à épicerie pour m'acheter du whisky.

Ce n'est pas du whisky. Mais je ne le précise pas. Pot dans lequel je n'ai rien mis depuis ma cuite, me rappelle-t-elle. Je me permets cette précision :

— Ce n'est pas vrai ! J'ai mis une jolie pensée, comme tu les aimes !

Sèchement et sûrement, Claire me coupe la parole.

— Tu te démolis si tu veux, je n'y peux rien, mais tu ne touches pas à mon argent pour financer ton opération démolition, compris ?

Je suis une petite fille qu'on chicane parce qu'elle n'a pas bien fait. Une toute petite fille qui s'est fait prendre.

— Compris.

Claire semble hésiter puis s'assoit sur mon lit.

— L'état dans lequel tu es ne m'impressionne pas, tu sais.

Je réplique :

— Je n'essaie pas de t'impressionner.

— Laisse-moi parler ! Ça ne m'inquiète pas non plus, ajoute-t-elle, l'air convaincu.

Mon ex-marraine AA, qui n'a pas touché à une goutte d'alcool depuis sept ans, me rappelle qu'elle a fait deux rechutes avant de parvenir à rester sobre.

— Tu n'es pas la première alcoolique ni la dernière à qui ça arrive. Une rechute, ce n'est pas la fin du monde !

Ce n'est pas la fin du monde, peut-être, mais, moi, je ne vois pas le bout du tunnel. Ce n'est même pas un tunnel mais un puits sans fond ! Pas même une petite lueur pour m'aider à m'orienter. Mais je n'ai pas envie d'en discuter. Je m'entends marmonner :

— En tout cas, ça prendrait une fichue de grosse lumière pour m'éclairer !

Le téléphone se met à sonner. Je tressaille jusqu'à en avoir des frissons.

— Excuse-moi, me dit Claire avant d'aller répondre.

Presque aussitôt, le bruit des pas m'annonce le retour de Claire. Dans l'embrasure de ma porte, elle me dit :

— C'est pour toi.

Et si c'était Nicolas ?

— Suis pas là.

Claire s'approche du lit en laissant sa main sur le combiné.

— Elle s'appelle Jennifer, me dit-elle tout bas.

— Connais pas.

— Elle dit que vous vous êtes rencontrées dans un parc. Tu lui as donné ton numéro de téléphone, au cas où…

… elle aurait envie de s'en sortir.

La fille couchée sur mon banc, brisée par le feu noir. Qu'est-ce que je fais ? Isa. Tu te rappelles Isa, quand même ? Oui, mais je ne suis pas en état d'aider qui que ce soit.

Jennifer, vas-tu la laisser tomber sous prétexte que tu es en rechute ?

Ça prendrait une fichue de grosse lumière pour m'éclairer !

Ma main tremble, comme la main d'une vieille bonne femme.

— Allô ?

— J'allais me *shooter*. Une dose fatale… Un bout de papier, avec ton prénom et ton numéro de téléphone, est tombé direct sur la cuillère. Je… alors j'ai appelé.

Il y a une main secourable juste au bout de notre bras. Personne ne peut aider tout le monde, mais tout le monde peut aider quelqu'un.

— Tu as bien fait. Oui, tu as bien fait.

Quarante-six

Claire, les yeux fermés, pose son doigt, au hasard bien entendu, sur la cinquième promesse. Au hasard, vraiment ?

Si profonde qu'ait été notre déchéance, nous verrons comment notre expérience peut profiter aux autres.

Jennifer a dit :

— Dans la cabine de téléphone… au coin de la rue…

On y est. Y sera-t-elle encore, elle ?

Oui. Jennifer, le regard affolé, a l'air d'un petit animal traqué dans sa cage : la cabine téléphonique. Claire-pleine-d'expérience fait tout avec douceur : lui tendre la main, lui parler, l'inviter à venir avec nous.

— Où ça ? demande Jennifer.

— Au Partage. C'est un centre de désintoxication.

Le même où je suis allée. Claire a ses contacts. Elle a appelé avec son cellulaire pour savoir si elle pouvait amener quelqu'un. Jennifer a le choix de dire oui ou non. On nous dit que nous avons le choix. Mais ce choix qu'on nous offre, il ressemble beaucoup à un piège. Juste un piège de plus sur une route cahoteuse.

La fille du parc hésite. Petite bête traquée. Elle dit oui. Coincée entre mort et vie. C'était comme ça pour moi en tout cas. Je pensais : « La mort me fait peur et je ne veux pas d'elle. La vie me fait mal et on dirait qu'elle ne veut pas de moi. »

Claire ouvre la portière de sa voiture. Jennifer refuse de s'asseoir devant. Elle se laisse glisser à l'arrière, les bras croisés, la tête baissée, les yeux fermés. Boule qui tremble.

Recroquevillée, comme elle, dans l'auto qui me menait au Partage, je tremblais comme une feuille, moi aussi, parce que le vent était glacial et fou. Et ces gens qui me conduisaient en cure, je les maudissais, je les bénissais. Deux émotions collées. Opposées mais collées. Est-ce que Jennifer fait pareil en ce moment ? Nous haïr et nous apprécier, Claire et moi, aussi fort et en même temps ? Ostifi que ça me fatigue, toutes ces pensées qui me repassent par la tête ! Je ne sais plus où j'en suis, mais je suis contente que Jennifer ait dit oui.

La porte du Partage s'ouvre. Jean-Claude Rivard apparaît dans le cadre. C'est lui qui m'a reçue quand j'ai débarqué ici. Il m'a dit que le toutou volé m'avait probablement sauvé la vie. Je l'ai envoyé promener.

C'est ici que j'ai connu Marco. En cure pour la deuxième fois, il m'a appris à jouer au billard. J'ai rencontré Claire grâce à Marco. C'est lui qui m'a fait connaître le groupe Les Soleils levants. Qu'est-ce qu'il est devenu, Marco ?

Jennifer ne parle pas, mais elle me dévisage avec des yeux qui hurlent. Je lui dis tout bas :

— J'étais pareille comme toi quand j'ai mis les pieds ici. Pareille-pareille.

Je ne lui souhaite pas bonne chance parce que moi, ça m'a fait vraiment suer quand on me l'a dit.

Pourquoi je ne lui ai pas dit : « J'étais pareille comme toi, ce soir, avant que tu m'appelles » ?

+ + +

Sur le chemin du retour, je remercie Claire pour son aide.

— L'entraide, c'est l'un des piliers de notre rétablissement. Tu dois commencer à t'en rendre compte, me répond-elle.

Sans commentaire.

Quarante-sept

Quelque part en août, 5 heures 17. Je n'ai pas fermé l'œil de la nuit, sa paupière était trop lourde ! Ah ! Ah ! La paupière de la nuit était trop lourde !

Le matin se pointe et ma vie s'intitule *Fille perdue ne sait pas si elle continuera à chercher*. Ou encore : *Folle raide comme un fil de fer, ma vie en suspens dessus*. Qu'est-ce que je suis drôle !

La nuit, je l'ai passée assise devant ma coiffeuse, à bercer le sachet de poudre magique comme si c'était un tout petit bébé.

Nuit blanche à regarder la fille du miroir jongler avec des souvenirs. Nuit blanche à assister au combat entre Petite Douceur et Lilas. Nuit blanche à ne pas boire de whisky parce que je n'en ai plus. Parce que je n'en ai plus ou parce que je n'en ai plus envie ? Pas pris de décision. Pas capable d'en prendre pour l'instant. Sais vraiment rien de rien depuis notre retour du Partage, où nous avons conduit Jennifer. Jennifer-qui-m'a-peut-être-sauvé-la-vie. Ça reste à voir.

Si cette fille ne m'avait pas appelée, est-ce que j'aurais pris la poudre ? Je l'ai achetée. J'ai volé Claire pour la payer.

La nuit a fini par passer. Sans que je me soûle ou que je me gèle la gueule. Sobre, je l'ai été pendant plus d'un an. J'ai tenté de me faire une nouvelle vie. Mais les fantômes du passé ont les dents longues. Ma nouvelle vie, ils la bouffaient au fur et à mesure sans que je m'en aperçoive ! À quoi elle ressemble, aujourd'hui, ma nouvelle vie ? À un paquet d'os. Comme mon histoire avec Gerry, les derniers temps. Comme moi à la fin de mon histoire avec Gerry. Paquet d'os.

L'amour m'a frôlée, comme un chat se frotte contre nos jambes mais s'enfuit quand on veut le prendre. Nicolas. Mon beau Nicolas. Nicolas-que-je-n'aurais-jamais-remarqué-avant. Trop gentil, trop charmant, trop beau. J'avais besoin de me donner de la misère pour me sentir en vie. Je n'aimais que les paquets de troubles. Ça serait beau dans une petite annonce : *Paquet d'os cherche paquet de troubles pour se sentir en vie !*

Je ne veux plus des salauds, mais je n'ai pas su quoi faire d'un Nicolas.

J'étais au bord du bonheur. Mais cette fille qui me regarde voulait ma peau.

Quarante-huit

J'entends Claire se lever. Il est 6 heures 48. Sans faire de bruit, je range la poudre dans le tiroir, ferme le tiroir sur mes doigts. Je ravale mon injure et mon envie de fesser sur le meuble. Pour ne pas alerter Claire.

Je rentre sous mes couvertures et ferme les yeux.

Claire prend sa douche. Elle retourne dans sa chambre s'habiller, va déjeuner puis se brosser les dents. Elle s'approche de ma chambre. Elle ouvre la porte. Je fais semblant de dormir.

Claire marche sur la pointe des pieds jusqu'à mon lit. Elle m'embrasse sur le front. Un gros motton se forme dans ma gorge, bloque ma salive et ma respiration !

Claire quitte ma chambre Je l'entends ouvrir la porte d'entrée puis la fermer derrière elle. Je rouvre les yeux : 7 heures 39. L'auto de Claire démarre. Le bruit m'affole. Pas le bruit de l'auto. Non, pas le bruit de l'auto.

Je m'assois dans mon lit. Le tiroir de ma coiffeuse est ouvert. Je l'avais fermé, j'en suis sûre. Sur mes doigts en plus ! Je n'ai quand même pas imaginé m'être fait mal aux doigts !

Sur le plancher... le sachet de poudre est sur le plancher !

Quarante-neuf

Je me relève, ramasse la poudre. Je sens une présence. J'avale ma salive de travers. Isa s'assoit sur le banc de la coiffeuse. J'ai la trouille. Isa me prend par la main. Ma main qui serre le sachet de poudre. Ma main qui devient toute chaude. Je dis à Isa :

— Comment ça se fait que tu es ici ? Qu'est-ce que tu me veux ?

— La mesure du temps est l'appareil que l'homme a inventé pour limiter son regard, me dit-elle.

Je réplique :

— Je ne comprends rien à ce que tu racontes, Isa.

— Comprendre la mesure est une chose. Découvrir cette dimension en est une autre.

Cela sera. Cela est déjà, mais tu crois que tu ne le sais pas encore.

Mais de quoi elle cause ? Je saisis de moins en moins. Je demande :

— Et qu'est-ce que je ne sais pas encore ?

— Que tu as accès à cette dimension quand tu n'utilises pas cette mesure qui réduit la perspective.

Cette explication ne m'éclaire pas davantage. Isa sourit, très belle.

— Mandoline, j'ai un secret à te confier, me dit-elle.

Isa se lève et me chuchote à l'oreille :

— Cette maison n'est pas…

Le sachet me glisse de la main et tombe sur le plancher. Le bruit me fait sursauter. Je me penche pour ramasser la poudre. Quand je me relève, Isa a disparu. Je n'ai pas entendu tout ce qu'elle a murmuré. Il était question de maison. Après, je ne sais pas.

Debout devant la coiffeuse, le sachet de poudre dans une main, je n'ouvre pas les yeux : ils étaient déjà ouverts puisque je ne dormais pas. Mais qu'est-ce qui s'est passé avec Isa ? J'ai dû somnoler, debout et pas longtemps, et rêver.

La nuit a fini par passer. Sans que je sache si j'ai envie de continuer ou d'arrêter de me soûler et de me geler la gueule. Qui a gagné, Lilas ou Petite Douceur ? Match nul.

Dehors, des oiseaux jacassent à tue-tête, il est 7 heures 42 et je capote !

À suivre, *L'Empreinte de la corneille*

Remerciements

À Jean Frenette, mon mari, qui a lu, relu, re-relu, m'a soutenue et encouragée sans relâche, même si les personnages de papier empiétaient sur notre réalité.

À Anne-Marie Villeneuve, ma très chère éditrice, et Rollande Boivin, ma sœur de lettres et de cœur, pour leur perspicacité et leur générosité au fil des versions.

À Sonia Sarfati, qui a cru à ce roman bien avant que je commence à l'écrire.

À Jean-François Vézina, auteur de *Ces hasards nécessaires*, pour sa disponibilité, son écoute, ses ressources et ses références. Le psychologue a fait autant de bien à l'auteure qu'à son roman.

À Isabelle Longpré, pour son obsession d'Isa.

À Jocelyne Pascal, pour mon initiation au billard, et à ses deux poissons, qui sont devenus des personnages de mon roman.

À Lise Sicard, Danielle Vaillancourt, Zoé Babin, Marie-Thérèse Morency, Suzanne Séguin, Céline Gingras, Sandrine Poitras et l'impitoyable Marie Demers-Marcil, pour leurs judicieux commentaires.

Aux merveilleux membres des fraternités Alcooliques anonymes et Alanon que j'ai eu le privilège de connaître.

À Daniel La Roche, de la Régie régionale de la santé et des services sociaux de Québec.

Au Conseil des arts et des lettres du Québec, pour l'aide financière accordée à ce projet.

Ressources

Tel-Jeunes, ligne d'aide et d'écoute
(514) 288-2266 ou 1-800-263-2266

Drogue : aide et référence
(514) 527-2626 ou 1-800-265-2626

Toxquébec
www.toxquebec.com

Québec, Canada
2006